CES ORAGES-LÀ

Sandrine Collette

CES ORAGES-LÀ

Roman

JC Lattès

Maquette de couverture : Le Petit Atelier
Photo © Cristopher Civitillo / plainpicture.com

ISBN : 978-2-7096-6852-1

À toutes les Clémence
Aux consolateurs

En mémoire

PROLOGUE

Il fait nuit.

Nuit des campagnes : noire, épaisse, où la lune sans cesse masquée par les nuages peine à éclaircir les reliefs de la terre – tout en ombres et en lumière.

Une nuit comme il les aime.

C'est pour cela qu'il l'a choisie.

Elle, elle court dans les bois. Elle voit mal. Elle devine, plutôt – pourtant elle le connaît, cet endroit. Plusieurs fois, des branches ont giflé son visage et elle a failli tomber en trébuchant sur des racines.

Elle court, elle est à moitié nue.

Moitié ?

Il ne lui reste qu'une culotte en soie – et sa montre.

C'est l'été. Il fait chaud.

C'est la peur – son sang est comme glacé à l'intérieur. Et pourtant, elle est en nage. La sueur lui glisse sur le front, perle à ses cils, qu'elle essuie d'un revers de main pour essayer de se repérer au milieu de la forêt.

Elle voudrait crier.

Mais ça ne sert à rien, alors elle se tait. Il n'y a personne autour, à des kilomètres. Pas de hasard.

Personne d'autre que lui.

Elle entend au-dedans d'elle-même les plaintes étouffées de la panique qui la gagne.

Un coup d'œil ridicule sur sa montre, pour quoi faire ?

Il est presque trois heures, cette nuit-là.

Trop long.

Elle a pensé à se rendre, à cesser de fuir. Elle a pensé à s'arrêter et à attendre qu'il arrive. Certaines bêtes le font : tétanisées par l'effort et la panique.

Comme elle.

Rester au milieu de la clairière, là où il la verrait forcément. Là où elle le regardera venir, pas à pas.

Ne plus bouger – que les tremblements.

Fermer les yeux.

Mais c'est impossible, elle le sait. Elle sait ce qu'arrêter veut dire.

Alors elle s'élance à nouveau, va chercher dans son souffle rauque d'ultimes forces galvanisées par la terreur. Il faut se battre. Il faut aller jusqu'au bout. Sinon, ce sera pire.

Une belle traque. Les mots dansent dans sa tête.

Il l'a crié tout à l'heure, en faisant résonner la nuit : Sauve-toi !

Au fond des bois. Comme toutes les histoires qui finissent mal.

S'il vous plaît, s'il vous plaît.

Ce n'est pas lui qu'elle implore en silence ; c'est un dieu, un magicien, un sorcier, n'importe lequel d'entre eux qui ne serait pas occupé à cette heure, un qui – il l'a dit dans son cri, lui : un qui la sauverait.

Elle n'y croit pas elle-même.

Cachée au milieu d'un bosquet de jeunes arbres, elle essaie de calmer sa respiration, elle essaie de faire taire ce sifflement monté depuis ses entrailles et ses poumons, qu'il doit entendre où qu'il soit et auquel il répond par un sourire, le souffle qui manque, le cœur en miettes, quand le gibier est au bout – c'est pareil à la chasse.

Jolie petite biche qu'il suit depuis deux heures à présent, il a eu du mal à retrouver sa trace.

Jolie petite femelle qui lui fait briller les yeux et éclater le corps d'une exaltation indicible, maintenant qu'il l'a repérée. Il ne lâchera plus son sillage. Pour un fauve affamé comme lui, elle est

13

une brillance dans les ténèbres, une explosion, la lumière de mille soleils.

Je vais t'avoir.

Elle ne le voit pas la contourner, passer à l'arrière du bosquet. Il y a trop de peur.

Elle ne le sent pas, elle ne l'entend pas.

D'un mouvement rapide, elle quitte le couvert des arbres et reprend sa course.

Il l'imite.

Il n'a plus d'effort à faire pour la pister : la culotte en soie blanche se reflète aux rayons de la lune, fuyante, agile, toujours là. Une tentation grandiose. Cela le fascine comme le petit cul des chevreuils virevoltant dans les bois de Sologne.

Accélérer.

Il sait qu'elle perçoit quelque chose. Elle a infléchi sa trajectoire, s'est jetée dans les recoins les plus sombres de la forêt. Lui – il ne peut s'empêcher de rire, et ce rire-là elle l'entend, il la terrifie plus que tout, tout le reste, tout avant, car il signe la fin, elle en est certaine.

Et il faut bien que cela s'arrête, mais la peur a pris le dessus. Elle ne réfléchit plus, détale sans se préoccuper des branches qui fouettent son corps nu, sans se demander où il peut être – tout proche –, où aller – elle est déjà passée à cet endroit.

Elle court, c'est la seule chose qui existe encore. Ça, et le refus. Pas elle.

14

Personne ne peut la suivre à ce rythme-là.

C'est pour cela qu'elle est là.

Elle est capable de courir à l'extrême limite de ce qu'un cœur supporte, sur le fil ténu qui sépare un être vivant de la mort.

Elle s'arrête d'un coup, plaquée contre un chêne immense qui la masque entièrement. Elle a l'impression que ses pulsations affolées soulèvent l'arbre. Elle s'y accroche comme si cela pouvait la rendre invisible.

Oreille aux aguets.

Écoute, écoute.

Elle n'entend rien. Elle n'entend pas.

Le martèlement dans sa tête, oui.

Mais pas le déplacement furtif qui vient soudain derrière elle.

Comment il a fait, elle ne le saura jamais.

Un éclair de conscience : elle se retourne et cette fois elle crie – un cri qui n'en est plus un, un hurlement, une épouvante pure, l'expression de ses nerfs à vif comme arrachés, et l'ultime pensée qu'il est trop tôt, il fallait tenir jusqu'à quatre heures, il est trop tôt, trop tôt.

Et puis il s'abat sur elle.

AILLEURS
APRÈS
AUTRE CHOSE

D'abord il y a l'air, comme du coton. Un air blanc. Un air d'été qui se serait perdu en mai. C'est trop tôt pour cette douceur-là, mais elle est là pourtant, cela flotte, cela frôle.

La jeune femme se tient dans l'ouverture de la porte-fenêtre, tournée vers l'intérieur de la maison. Elle, au visage fatigué : a ouvert les mains pour sentir l'air entre ses doigts. Un filet. Puis plus rien à nouveau. Un matin de printemps sans vent, dont la lumière lui fait baisser les yeux, à cause du reflet sur la table nacrée – elle n'a pas encore mis de nappe. Elle n'a pas eu le temps d'en acheter une. Il faudra y penser, demain ou après-demain. Ou pas du tout, et elle continuera à cligner des yeux, finalement elle s'en moque. Autour d'elle, dans la pièce remplie de soleil, les cartons empilés.

Une maison de rien. Un salon où se coude une cuisine jaune passé, à droite en entrant. Une chambre. Une salle d'eau, des toilettes à changer (c'est prévu, vite ; elle refuse de s'asseoir sur la lunette trop sale). Une vieille petite maison moche. Qu'importe. On lui a dit qu'elle pouvait enlever la moquette. Elle repeindra tout. Là aussi, elle reconstruira.

Elle n'a pas réussi à mettre la main sur la cafetière en défaisant les premières boîtes de déménagement et elle est allée acheter du café soluble à l'épicerie du coin. Un goût qu'elle avait oublié, douceâtre, sucré, un goût infect, nuancé par la joie presque incrédule d'être là. Être là, et qu'il reste du temps, peut-être au milieu des fleurs sauvages derrière elle – mais elle ne regarde pas encore le minuscule jardin, trop beau, trop peur, il faut s'habituer.

Et surtout, elle a pensé : être là, cela veut dire être vivante. Avec la sensation d'être passée très près, beaucoup trop près. Mais passée quand même. Elle aimerait en rire, par une sorte de soulagement qui ne trouve pas d'autre expression pour l'instant. Rire : impossible encore. Juste être là.

Juste cette maison étroite. Si petite à côté de – oh non, elle ne veut pas comparer, c'est une maison toute simple et il n'y a rien à ajouter, mais au fond d'elle, est-ce que ce n'est pas un peu faux de dire ça, est-ce que ce n'est pas de la honte, c'est cela, n'est-ce pas. Elle, revenue tant d'années en arrière, démunie, dépouillée de tout. Cette maison, il aurait fallu qu'elle soit plus grande, plus belle, il aurait fallu qu'elle soit à elle et pas une location prise à l'arraché, elle arrête d'y penser, elle avale une autre gorgée de café écœurante, se retourne pour verser d'autres grains dans la tasse, de l'eau chaude devenue tiède.

Tu as les mains qui tremblent, se dit-elle en les regardant.

Et c'est vrai, ses mains tremblent.

Le changement.

La fuite, aussi, toujours.

La semaine dernière encore, elle a dormi chez une cousine de Manon. Jeudi, elle a passé sa journée à la terrasse d'une brasserie, assise au bord du trottoir, au pied des voitures. Les gaz d'échappement lui piquaient les yeux. Le bruit des moteurs qui accélèrent, vibrant dans sa poitrine. La ville était en elle, papillonnante, increvable. Et puis le rendez-vous à l'agence immobilière souligné de trois traits sur son agenda, juste en face du bistrot – elle n'avait qu'à traverser, elle l'avait attendu pendant des heures, ce rendez-vous, comme si elle pouvait le manquer, comme si quelque chose allait l'attraper ou la retenir – comme si l'agence allait lui dire que la vieille dame avait changé d'avis et qu'elle ne louait plus sa vilaine maison. Mais non.

Elle a signé et elle a pris les clés de ce bout de maison et de ce bout de campagne dans la ville. Il y a même des abeilles sur les boutons-d'or. Il y a aussi le nœud au fond de son ventre.

Elle a trente ans, elle vient de naître. Il ne lui reste à peu près rien. C'est comme regarder une maison éboulée après une secousse ou une inondation : à présent, il faut repartir de zéro. Trente ans derrière elle, et le vide soudain. Clémence ne sait pas construire, tout au plus recoller les morceaux d'un mur brisé. Clémence est le mur.

La bicoque : sa première pierre. Aussi fissurée qu'elle, qui a signé à peu près pour le premier bien qui se présentait dans le quartier, avec le dossier qu'elle avait, elle ne pouvait pas être exigeante. Juste trouver quelque chose et ce serait bien, juste un endroit où se mettre, une cache, un nid. Et il fallait en vouloir, de cette maison, l'agence la lui avait fait visiter avec mille précautions, elle se souvient des mots, vétuste, repoussant, sale, et la maison était tout cela oui. Mais il y avait aussi – elle secoue les mains pour faire tomber la pensée, on verra, on verra.

Une maison laide. Est-ce que ce n'était pas logique, au fond, est-ce qu'elle pouvait trouver autre chose ? Est-ce qu'elle méritait mieux ? Une maison comme elle, voilà. Comme sa vie. Toute pourrie toute rabougrie. Il n'y a même plus de moquette, maintenant – tant pis, elle l'aime encore mieux sans. Le parquet est stocké le long d'un mur.

Elle promet, là aussi : demain. Et peut-être qu'elle le fera demain. Et sinon ? Rien à foutre. Elle pourrait rester toute sa vie sur un sol en ciment avec des traces de colle et des morceaux de moquette arrachée en longues diagonales, si elle décidait que ce soit ainsi.

Si je veux. Cela fait longtemps hein qu'elle n'a pas dit ça.

Et puis elle le posera, ce parquet. Elle ne va pas se gâcher le plaisir. Bon sang, elle dit. La maison – son refuge. Elle en fera un terrier, un cocon. Elle a besoin de tout cela. Et la joie : la liberté, putain. Elle le répète. Elle le crie. Elle regarde autour d'elle, comme si quelqu'un pouvait entrer et la gronder. Elle serre les poings sur son ventre. Elle tape sur la table.

La joie oui, qui n'ose pas encore se dire, qui n'a pas assez de place. Qui peut comprendre cela ? Il faut être passé par la peur. Celle des lendemains mais – pas la petite peur de merde des lendemains dans la rue ou dans la misère, hein. Pas la peur ordinaire des fins de mois ou du regard des autres, les peurs minables, minuscules, presque risibles. Non : la peur des lendemains tout court. Celle du jour suivant, le jour qui ne se lèvera peut-être pas pour soi, parce qu'on sera clamsé. Voilà. Ça tient en si peu de mots. Et pourtant, l'un après l'autre, chaque jour se lève. La pensée reste cependant, collée au corps et à la tête : cela aurait pu être autrement. Oh, la chance, le sursis. Il s'en faut de si peu.

Et est-ce véritablement de la chance d'ouvrir les yeux et de deviner l'aube d'un autre jour, au fond ? Est-ce de la chance que tout recommence chaque fois ? Quand on a une vie de merde, se réveiller le matin n'est pas forcément une bonne nouvelle. Il n'y a pas de retour au meilleur – juste le pire qui s'accumule. Car lui – lui, l'homme : il a prouvé que le pire s'inventait d'aube en aube, de nuit en nuit. Toujours un peu plus. L'espoir a rendu les armes.

Alors elle pose les mains bien à plat sur la table pour les empêcher de se recroqueviller à s'en faire claquer les jointures. Elle s'exhorte. Fini, fini. À présent, c'est un peu de repos. Un peu de répit. Cela lui semble extraordinaire après toutes ces années de guerre.

Car c'était une guerre.

Et pour réparer, il faudra du temps.

Pour la maison.

Pour elle.

Tout se reconstruit, elle le sait. Même après les plus grands combats, et les plus grandes blessures. À voix basse, les paumes serrées l'une contre l'autre, elle murmure son nom pour se redonner une existence.

Clémence.

Elle touche sa peau. Elle est là. Guérie, ou pas encore, mais soustraite, dérobée, à l'abri.

Si fragile.

Cela ne tient qu'à un fil.

Derrière la baie vitrée, le soleil est chaud. Clémence remonte ses manches. Et puis elle sursaute et les rabat sur ses bras, jetant un œil inquiet, avant de se rappeler qu'il n'est pas là, plus là – alors avec rage, elle roule ses manches à nouveau, elle les tient à ses coudes, comme s'il fallait les forcer – mais ce qu'elle oblige, ce sont ses mains qui se souviennent et qui cherchent à cacher cette peau trop blanche et ces tendons saillants, par habitude, par réflexe, il faut qu'elle leur explique, personne ne dira rien cette fois.

Ni la fois d'après.

Elle crie toute seule. Plus jamais !

Elle les tend par défi, ses bras trop maigres, sa peau bleutée par les veines, ses miches de rat. Son visage creusé. À croire qu'elle va se casser aussitôt qu'elle bouge. Dans son ancien immeuble, même les vieilles dames n'osaient pas lui demander de l'aide pour monter leurs courses. Pourtant elle aurait voulu les porter, ces fichus sacs, beugler qu'elle n'était pas malade – mais les vieilles ne lui en laissaient pas le temps, se glissaient dans l'entrée en lui disant bonjour avec cet air désolé qu'elle déteste.

Je ne suis pas malade.

Juste si maigre.

Elle n'y peut rien, Clémence. C'est la nature. La chance, lui répétaient ses rares amies (la chance !). C'est si vite dit. Avec sa silhouette famélique, elle effraie. Depuis des années, elle devine l'aigreur des regards, entend les chuchotements autour d'elle, *Tu as vu la fille ?* Elle ferme ses oreilles, elle ferme ses yeux. Quelques mots lui parviennent encore. *Se donner en spectacle comme ça, quand on voit toutes ces femmes qui n'arrivent pas à perdre du poids.*

Cela lui fait de la colère, à Clémence. Comme si la maigreur n'était pas un vrai problème. Petite, elle s'en souvient – petite, lorsqu'il y avait des tempêtes, elle avait peur de s'envoler. Elle avait peur d'être emportée. Elle avait vu des oiseaux se faire renverser par les rafales de vent, une mésange, un moineau qui ne s'étaient pas mis à l'abri assez vite. Elle était certaine qu'il lui arriverait la même chose si elle se trouvait dehors à ces moments-là, elle ne voulait plus sortir. Elle fuyait le gros temps, elle détestait ces orages d'été qui déracinent les grands arbres et

27

envoient valdinguer de longues branches contre les murs et sur les toits. Elle se regardait dans la glace. Pas assez grosse. Pas assez lourde. Qui sait jusqu'où le vent l'emmènerait.

Pourtant, la maigreur, elle a essayé d'en parler, elle l'a dit à tout petits mots. À ses parents, puis à ses amis, puis à *lui*. Personne ne l'a jamais crue. Elle fait exprès, ont-ils pensé. Elle se donne un genre. Et quand bien même : qui se plaindrait de pouvoir s'empiffrer aux fêtes, aux anniversaires, aux soirées, sans que l'aiguille de la balance ne bouge – qui oserait grincher, qui pleurnicherait de se nourrir de crêpes, de gaufres et de frites sans prendre un gramme, mais Clémence n'aime pas les gaufres, et elle n'aime pas les frites.

L'anorexique, ils disent dans son dos. Car on n'est pas si maigre naturellement. Ça ne se peut pas. Clémence – la menteuse. La maigrichonne : c'est ainsi que les autres l'appelaient à l'école, quand elle était enfant.

Elle s'en fout. Elle est gourmande, elle est en forme, elle a de la force.

Non, ce n'est pas vrai qu'elle s'en fout. Il n'y a que le reste qui soit vrai. Cela fait du chaud dans sa gorge. Elle tire sur sa chemise, son cœur s'emballe.

Faut respirer maintenant.

Alors Clémence ouvre la baie et sort dans le jardin.

« Sur très beau jardin de trois cent cinquante mètres carrés. »

En lisant le descriptif à l'agence – la maison n'était pas sur leur site, ils n'avaient pas osé, ils lui avaient montré sur l'ordinateur, une maison qui ne valait pas une annonce et qu'ils gardaient pour des gens comme elle, elle le savait –, en lisant cela elle avait éclaté de rire. Trois cent cinquante mètres carrés, ils pouvaient lui raconter ce qu'ils voulaient, trois cent cinquante mètres carrés ce n'était pas un jardin.

Une cour peut-être. Un enclos.

Une aumône.

Et puis en arrivant, elle avait vu. Trois cent cinquante mètres carrés, pas un jardin en effet, mais : une luxuriance, un palais de verdure, un royaume exubérant. Quelque chose d'impossible, défiant le regard par son illusoire immensité, une profusion minuscule, serrée, mélangée – ravageuse. Un carré de plantes et d'arbres grand à la fois comme un mouchoir de poche et comme le monde, où chaque espace était occupé par des feuilles, des tiges, des troncs, des fleurs, des ondulations. Camaïeux de verts et de rouges, touches de bleu, de blanc, de rose. Trois cent cinquante mètres carrés et on n'en voyait pas le bout. Clémence ne savait pas ce que c'était. Les mots lui manquaient. C'était là.

Cela faisait un abri, des sentiers, des niches. Cela faisait une forêt. Cela faisait des cris d'oiseaux, des grillons en transe. Au fond du jardin, un sophora étendait ses branches telle une étreinte, couvrant presque la largeur du terrain. Il y avait une pierre en dessous, elle s'était assise. Un bassin mi-ombre mi-soleil avait été construit là, avec des nénuphars et des lentilles d'eau, dans lequel nageaient quatre poissons rouges et demi.

Quatre et demi, parce que le cinquième était à moitié mangé. La chair cicatrisée avait boursouflé sur le haut du dos, un oiseau peut-être, et pourtant aucun héron n'aurait eu la place de se glisser jusque-là – la patte d'un chat, d'un renard ? Ici ? Le poisson ne semblait pas moins vif ou moins fort que les quatre premiers. Simplement, il nageait à l'arrière. Clémence l'avait regardé un long moment.

Un jardin où même mutilé, même dévoré, on pouvait vivre.

Un ailleurs. Une sensation magique.

La maison, toujours pareille – comme elle l'avait traversée en entrant, trop petite et trop laide, elle avait rejoint la femme de l'agence au pas de course, elle avait dit, *Je la prends.*

Mais pas seulement beau, le jardin dans lequel elle ose à peine marcher à présent. Dans la beauté, il y a de la force ; dans la force, il y a de la violence. Petit jardin pourtant, suffisamment pour que cela ne lui rappelle pas – non, elle secoue la tête, il y a de la peur encore. Rien, martèle-t-elle en silence. Cela ne lui rappelle rien. Ce jardin-là, c'est comme un conte de fées. Il n'y a pas d'ogre et pas de monstre. Juste quelques poissons planqués sous les lentilles d'eau.

Quatre poissons rouges et demi, c'est tout : Clémence ne possède rien de plus. Elle a changé de maison, changé de travail aussi. Partie sans laisser de traces – mais on laisse toujours des traces en disparaissant, de celles que savent renifler les traqueurs : l'odeur de la peur et de la hâte, les piétinements dans l'affolement, les courants d'air. Elle, elle a tout essuyé tout nettoyé. Au mieux. Merde, elle sait que ça ne suffit pas, de faire au mieux. Il faut que ce soit parfait. Sinon – sinon quoi ?

Un mélange d'angoisse et de colère lui donne des frissons. C'est comme si sa tête se mettait en court-circuit pour ne pas dire son nom, ne pas convoquer son image, comme si elle avait dressé un mur invisible entre elle et lui. Mais il est là tout le temps, celui qu'elle a quitté, celui auquel elle échappe. Thomas : tremblements. Thomas : mal au cœur. Thomas – vertiges, sueur, vision trouble.

Clémence n'est pas partie, elle s'est enfuie. Loin, enfin pas si loin. Dans ces villes qui se touchent les unes les autres, elle a l'impression d'être restée au même endroit et pourtant tout est différent : la rue, les maisons, le quartier, même le nom de la commune. Alors oui, elle est partie. Elle a fait son déménagement seule, opiniâtre, en cinq allers-retours affolés avec la voiture dont elle avait couché les sièges. Elle n'a presque rien pris. De toute façon, elle n'avait pas de place, que le garage prêté par Manon en attendant qu'elle ait un endroit à elle. Un petit garage où ses cartons devaient cohabiter avec la voiture de Pierre, mais elle n'emportait pas grand-chose, ne voulait pas de souvenirs. Elle ne voulait pas de reproches. Et surtout, elle avait tellement peur que Thomas la surprenne avant qu'elle ait fini, avant qu'elle ait filé pour de bon.

Elle est partie un matin, c'était il y a un mois. Elle avait démissionné de son travail la semaine précédente. Pendant trois jours, elle a fait semblant d'aller à la boulangerie comme d'habitude, pour que Thomas ne se doute de rien. Elle est partie un matin, elle avait déjà signé le bail pour sa bicoque. Elle savait que cela allait venir. Une semaine, une dizaine de jours tout au plus chez cette cousine convaincue par Manon. Manon qui n'en finissait pas, Manon qui ne se le pardonnait pas. Elle lui disait presque chaque soir au téléphone, à mi-voix.

33

— Je me répète, mais je suis tellement désolée.
Clémence souriait.

— Oui, tu te répètes.

— Je suis toujours désolée.

— Ça n'est pas ta faute, Manon. C'était un de
tes collègues. Tu ne pouvais pas savoir comment
il était en vrai.

— Je le trouvais bien. Je pensais que lui et toi…

— Eh bien voilà, lui et moi. Mais tu n'y es
pour rien. Tu ne m'as pas forcée, pas menacée, je
t'assure.

Le petit rire embarrassé de Manon, un renifle-
ment. *Excuse-moi. C'est moi qui me plains, en plus.*

— C'est bon.

— D'accord, d'accord. On se voit bientôt ?

À la maison, chez lui, Clémence n'avait rien préparé, aucune affaire, aucun signe. S'il devinait, elle
était morte. Alors elle n'a rien dit, rien de rien, cela
ressemblait à un jeu et bon sang, ce n'en était pas
un du tout. La veille de son départ, elle a même
été plus joyeuse que d'habitude, lui semble-t-il, et
elle s'est raidie d'un coup quand il a coulé vers
elle cet effrayant regard inquisiteur. Il pouvait tout
comprendre, tout sentir. Elle est redevenue morose,
morose et transparente.

Elle avait cette unique journée pour tout empa-
queter et tout enlever, après avoir pris son vélo

comme si elle allait travailler et fait le tour du quartier en attendant que Thomas s'en aille. Revenir, avec dans le ventre cette peur panique qu'il rentre plus tôt. Il n'y avait pas de raison : mais ces intuitions dont il avait le secret. Ces soudainetés qu'elle n'avait jamais su prévenir, ces irrationalités, ces pièges. Chaque pas dans l'escalier, chaque bruit dans l'immeuble l'avait tétanisée ce jour-là. À quinze heures, elle avait fini, la sueur lui coulait sur les tempes et dans le dos, et ce n'était pas la chaleur. Le soir, il trouverait l'appartement vide.

Vide aussi, la maison de campagne où il l'emmenait le week-end et qu'elle détestait plus que tout.

Pour qu'il ne trouve pas à y redire, pour ne pas passer pour une souillon, Clémence a traîné le lave-vaisselle cassé depuis deux ans (aucune importance, Clémence, tu feras la vaisselle à la main et puis voilà) dans le demi-escalier puis jusqu'à l'ascenseur, elle l'a poussé sur le trottoir, l'a fait glisser sur deux planches pour le hisser dans son coffre et l'emporter à la déchetterie. Et les cartons de livres. Et les plantes en pot qu'elle a voulu emporter, parce qu'il les aurait laissées crever.

Elle est partie. On dit : comme une voleuse, mais elle n'a rien volé.

Elle est partie parce qu'elle n'en pouvait plus. Elle a enfin compris que cela irait plus mal encore que ça n'allait.

Pourquoi elle, hein ? Pourquoi, si ce n'est qu'elle le portait sur la gueule ? Une petite fille trop maigre avec des grands yeux timides. Autant l'admettre : la victime idéale. Même physiquement, cela se voyait. Comme s'il y avait marqué *proie* sur son visage. Elle l'incarnait – au sens propre : comme une viande bien rouge et bien morte.

Si seulement elle avait été grande et forte.

Si elle avait été une maîtresse femme – mais si elle avait été cela, jamais Thomas ne l'aurait approchée.

C'est pour cela, pour s'en sortir, qu'elle a essayé, réellement, de devenir grande et forte. Pour cela qu'elle a fait du sport en cachette, qu'elle a acheté un vélo qu'elle cadenassait dans le local de l'immeuble pour aller au travail en pédalant matin et soir, qu'il pleuve, qu'il vente, qu'il neige.

Qu'elle en a racheté un quand on lui a piqué le premier.

Qu'elle a toujours monté les escaliers à pied, même avec les courses.

Pourtant, quoi qu'elle fasse, quelle que soit la force qu'elle gagne, ses bras ne se galbent pas, ses jambes restent osseuses. Sa poitrine, plate comme au jour de ses dix ans. Parfois le soir, au moment de prendre sa douche, Clémence se regarde dans le miroir. Des yeux bleus immenses oui mais. Des cheveux noirs ébouriffés trop courts, des épaules tombantes, pas de seins, pas de hanches. Si elle cachait son visage, on pourrait croire que c'est un garçon qui se tient là en face d'elle dans la glace, tant son corps est indéfini. Un androgyne. Un entre-deux, misérable et troublant.

Alors à cet instant dans le soleil, Clémence se frotte les joues avec rage. Elle veut oublier ce que l'homme qu'elle n'aime plus a fait d'elle, de honte, de pitié et de dégoût. Elle est vivante, elle a les yeux qui brillent, ces yeux que les photos rendent translucides. Au fond d'elle, l'étincelle est toujours là. Elle ne demande qu'à grandir, indifférente au corps diaphane qui l'accueille, insensible aux regards gênés et aux reproches, *Mais mange ! On dirait que tu sors d'un camp de concentration !* Ce qu'elle demande est si modeste. Juste exister. Ne plus entendre un homme lui dire quand elle rentre le soir, avec son pantalon serré flottant sur ses jambes fluettes, *Salut, Lucky Luke.* Et surtout – surtout, tout le reste.

Elle prend son visage entre ses mains. Un sourire ou une larme, qu'importe. De toute façon, c'est du passé.

Quelque part dans la ville, l'église sonne l'angélus. Midi. Le frôlement du ciel, de l'air tiède. Clémence remet l'eau à chauffer sur le gaz, ouvre quelques cartons, trouve une boîte de biscottes. En attendant que ça frémisse dans la casserole, elle grignote. Elle fait des miettes. Elle les balaie d'un revers de main, les jette par terre et rit. Jamais elle n'aurait pu, avant. Il n'aurait pas supporté. Il fallait que tout brille, tout le temps, le parquet, le carrelage, l'évier. La table de cuisine. Le bureau. La nuit, quand il n'arrivait pas à dormir parce qu'elle l'avait exaspéré, il passait le balai dans l'appartement – parfois l'aspirateur, il se moquait de la réveiller, elle ne comptait pas. Il lavait le sol, essorait, pliait le linge.

Taré.

Clémence écrase les miettes sous son talon. Plaisir fugace. La sensation de briser un interdit et de n'être pas aussitôt foudroyée. Depuis combien de temps avait-elle oublié cet étrange sentiment de liberté ?

Presque trois ans à vivre dans une cage qu'il a refermée insidieusement, un peu plus chaque jour, sans qu'elle s'en aperçoive. Trois ans : rien du tout. Dix-huit mois pour le coup de foudre et dix-huit mois pour l'enfer. Mais quand on y est, c'est long comme l'infini. Trois ans pour un travail d'orfèvre. Quand elle s'en est rendu compte, c'était trop tard – les affections étaient rompues. Plus de famille, plus d'amis, des relations minimales avec les rares collègues à la boulangerie, bonjour bonsoir, quelques conversations auxquelles elle ne participait pas. D'elle, on disait qu'elle était timide, repliée sur elle-même. La vérité est tout autre : Clémence est une œuvre.

Son œuvre à lui.

Avec quels ciseaux invisibles a-t-il coupé un à un les liens qui l'unissaient au monde, avec quelle force lui a-t-il fait croire à la cruauté des autres ? Et lui qui se posait en sauveur, ma belle, ma princesse, lui qui la protégerait toujours – mais de quoi ?

Parce que, avant, elle riait. Avant, elle faisait la fête. Elle aimait retrouver ses amis. Bien sûr au début, elle a trouvé normal de se consacrer à lui. Amoureuse – quelle idée stupide. Passer ses soirées avec lui, ses week-ends, ses vacances. Accepter de ne plus voir les proches qu'il ne supportait pas, de rompre avec les parents ; arrêter de faire du sport ou du dessin – on est tellement mieux ensemble. Changer de travail, une ou deux fois, perdre ses repères les uns après les autres, insensiblement, ne plus avoir de recours que lui. Être avec lui, tout le temps. Être à lui, point final. Oui au début, elle en a tiré une certaine fierté, comme si cela mesurait la grandeur de son amour. Aveuglée. Incapable de remarquer les portes qu'il fermait les unes après les autres autour d'elle, l'isolant et l'esseulant, devenant la seule présence dans sa vie. Une sorte de dieu omnipotent. Et elle, son unique disciple. Convaincue qu'en dehors de lui, rien n'est possible.

Lui, le créateur. De ses mains maudites, de ses mots assassins, il modèle Clémence à son idée. À son envie. Un coup de pinceau ou un coup de poing, mauvais sculpteur ou mauvaise personne – quelle différence ? Oui, Clémence est une œuvre de souffrance. Thomas a détruit en elle chaque parcelle de gaieté, traquant la moindre étincelle, le moindre espoir. Personne ne la croit quand elle dit qu'il l'étouffe. Personne ne voit le monstre derrière l'homme charmeur qu'on lui jalouse.

Qu'on le lui prenne ! Elle le donne à qui veut.

Elle respire, Clémence, elle ouvre les yeux, se redit que c'est fini, tout est fini. Mais ses mains tressautent à nouveau, et les larmes roulent sur ses joues, assombrissent la lumière entre ses cils mouillés. La peur que cela recommence – ou celle d'être enfin libre. Le remords d'avoir réussi à partir. Et pourtant, c'était la seule solution : s'il y en avait eu une autre, elle l'aurait choisie.

Un mouchoir, et elle s'essuie rageusement le visage. Elle se lève, sort et fait quelques pas sur la terrasse, sur les deux mètres de pelouse avant l'incompréhensible forêt. Elle secoue les bras, jette la peur au loin, et la rancune, et ce lâche sentiment de solitude. Les thuyas, sur le côté, sentent la résine. Leurs branches lui frôlent les mains, des milliers de rameaux verts sur ses paumes ouvertes et frissonnantes. Elle se calme peu à peu, fourbue comme un vieux cheval. Depuis des années, son corps sursaute et tressaille à chaque instant. Se reposer, enfin. Par pitié.

Elle étend les bras. L'air la porte, la pesanteur s'évanouit.

Elle tombe par terre et rit et pleure.

Les premiers jours, c'est difficile. Tout est difficile. Difficile de tout changer, et que rien ne change. L'angoisse, les palpitations, l'avenir sans avenir : c'est là. Clémence voudrait que ça se répare d'un coup, comme si la vie lui devait cela, après les années terribles. Mais la vie n'est jamais redevable. Jamais juste. Elle aussi, elle est là et c'est tout. Il faut faire avec la sensation, jusqu'au bout des doigts et jusqu'au fond du ventre, qu'on ne s'en sortira pas – au fond du ventre ou au fond du trou, ça grésille, ça dévore.

La nouvelle boulangerie qui a embauché Clémence est plus grande que l'ancienne. Les fours sont séparés de l'espace vente par un mur à mi-hauteur surplombé d'une longue vitre par laquelle on peut voir les clients – en vérité, il y a de la buée tout le temps et on ne voit pas, il y a seulement leurs trois silhouettes qui travaillent, elle

Clémence, et les deux autres, Rémi qui s'occupe des sandwiches et n'arrive qu'à huit heures, et Florent qu'on appelle Flo et qui travaille le pain comme elle. C'est un garçon de son âge, un blondinet aux cheveux coupés en brosse, tatoué, avec des biceps comme les cuisses de Clémence ne seront jamais. Elle est certaine qu'il fait de la gonflette, le soir et le week-end. Mais il est d'une gentillesse surprenante. C'est un drôle de boulanger qui ressemble à un ours, d'un contact facile et chaleureux, bien plus que Rémi, un peu trop taiseux au goût de Clémence que les gens bavards rassurent. Le coup de chance, c'est qu'elle fait ses journées avec Flo. Rémi est *sandwicheur*. Eux – Flo et elle : les vrais boulangers.

Quand elle était môme, Clémence voulait déjà être boulangère. Ses parents répétaient que c'était idiot, elle pouvait faire bien mieux – mais mieux que quoi ? C'est quelque chose de très instinctif chez elle : nourrir. Petite, elle jetait du pain aux oiseaux, aux souris au fond du jardin, elle semait des restes de repas pour les fourmis, les chats et tout ce qui voulait bien s'en repaître, et le rebord des fenêtres ressemblait à une petite déchetterie, disait sa mère en levant les yeux au ciel. Clémence a cuisiné très tôt, comme souvent les petites filles – et comme toutes les petites filles : des gâteaux. Puis du pain, parce que sa mère soutenait que l'on

43

pouvait fabriquer à la maison la même baguette croustillante qu'à la boulangerie et qu'elle ne la croyait pas. Le pain, une révélation. Si peu de chose, pour un produit dont elle aurait fait son unique source d'alimentation. Si peu de chose pour nourrir le monde entier. Il suffit de l'agrémenter de n'importe quoi – du fromage (fondu ou non), du beurre, de la confiture, du poisson séché, une terrine de canard ou de cochon, du miel, du chocolat, de la mayonnaise, du tarama, de la pâte à tartiner, un œuf, du saucisson, du bœuf avec de la sauce raifort. Enfin il y a de quoi crever de plaisir avec tout ça, s'était-elle dit, du pain nature, du pain complet, avec des noisettes, des figues, des abricots, des grains de maïs, des lardons, du comté, cela ne la lâcherait plus, elle avait rêvé d'être boulangère et elle l'était devenue. Du moins – boulangère comme on l'est aujourd'hui : à la chaîne, avec des farines qui arrivent déjà prêtes et des sacs prédosés de céréales pour les pains complexes, des pétrins qui pétrissent tout seuls, changent de vitesse automatiquement et s'arrêtent quand la minuterie sonne. Il n'y a plus qu'à mettre en forme et placer en détente, donner quelques coups de lame pour la cuisson et la décoration, et laisser faire. Demi-boulangère, en quelque sorte : mais cela, elle y est arrivée, et c'est le seul rêve qu'elle ait réalisé.

Clémence, noueuse, nerveuse, ses gestes sûrs et rapides pour manier la pâte, en faire des pains ou des baguettes, longs, carrés, rectangulaires, avec des graines, saupoudrés de farine, et toujours ce sentiment de fabriquer quelque chose qui pourvoit aux besoins des gens, quelque chose au parfum entêtant, qui croustille, qui donne envie de croquer dedans. Cette chose-là la met en joie chaque jour, malgré les soucis et malgré la fatigue, depuis ses mains qui jubilent de malaxer les pâtes jusqu'à la chaleur du four et l'odeur qui se crée peu à peu, dorée, salivante, lorsque les clients entrent, parfois elle les entend dire aux vendeuses : *Ça sent bon ici.*

Ça sent bon tout le temps. La boulangerie fait partie de ces magasins qui ont des terminaux de cuisson permettant de sortir du pain frais toute la journée. Clémence avait dit qu'elle ne travaillerait pas dans un endroit comme celui-là, que la boulangerie était une sorte d'art, avant de se rendre compte que dans la plupart des petites boutiques à l'air artisanal, on vend le même pain avec les mêmes farines toutes prêtes. La poésie a disparu. Il faut que ça aille vite, que ça coûte moins cher, moins d'heures volées à la nuit. Alors, Clémence s'était juré que plus tard, elle aurait sa propre boulangerie, avec des farines bio et des mélanges qu'elle ferait elle-même. Moins de choix sûrement mais du bon, rien que du bon, du pain lourd et dense, pas de ces baguettes pleines de trous dont la mie est aussi blanche qu'un bol de lait. Ce rêve, il s'est envolé quand elle est partie. Thomas lui avait dit qu'il l'aiderait pour le capital à investir, et Thomas n'est plus là. Clémence sait qu'il mentait : il ne lui aurait jamais donné l'élan pour s'émanciper, pour monter un projet à elle, juste elle. Mais le doute persiste. Peut-être l'aurait-il fait, en fin de compte. Quelque chose pour elle. *Tu sais bien que ce n'est pas vrai.*

Dans la nouvelle boulangerie, Rémi et Flo et les deux vendeuses, Cathie et Samira, l'ont accueillie avec soulagement. Il manque un boulanger depuis plus d'un mois et chacun virevolte, aide, s'énerve aussi, aux heures de rush. Les pics, c'est le matin jusqu'à neuf heures ou neuf heures trente, le déjeuner où la formule sandwich fait un carton, et le soir au moment des sorties de bureau. En dehors de ces créneaux, il y a des passants un peu tout le temps, la boutique est bien placée, sur le pourtour de la grande place pleine de commerces, pas très loin d'une école. Des étudiants, des visiteurs, et puis les habitués qui ne travaillent pas – des retraités pour la plupart. Clémence entend une vieille dame expliquer à Samira qu'au début elle venait vers sept heures et demie, les vieux ça se lève tôt ; mais il y a la bousculade, les vendeuses pressées, on n'a pas le temps de choisir, pas le temps de parler. Alors maintenant, le matin, elle fait griller le pain de la veille et elle vient à la boulangerie après dix heures. Samira acquiesce, dit quelques mots que Clémence ne comprend pas, la vieille dame s'attarde, repart avec son petit pain et le sourire. *Ah les mamies*, grince Rémi. Clémence hoche la tête. Elle les aime bien. Même celle aux cheveux bleutés qui réclame sa monnaie en essayant de faire croire à Cathie, un jour sur deux, qu'elle lui a donné un billet de vingt euros et non de dix. Ensuite, elle dit qu'elle perd la tête. C'est un peu vrai et un peu malhonnête, moitié-moitié, murmure Cathie pendant la pause, et cela n'a pas d'importance, elle garde le billet haut dans la main pour qu'on le voie, jusqu'à ce qu'elle rende la monnaie, la vieille dame ne peut rien dire. Cela les fait rire.

À tout petits pas, Clémence s'installe à la boulangerie. Les autres travaillent là depuis trois ou quatre ans – un an pour Flo qui est le dernier à être arrivé avant elle. Les autres se connaissent, ils ont des souvenirs ensemble, quelques sorties peut-être. Ils ont constitué un monde dont Clémence était exclue jusque-là. Cela lui va bien. Elle n'a pas la force de s'intégrer au milieu d'eux, pas l'énergie pour battre des coudes et se faire une place de cinquième, une place cela signifierait parler et écouter et plaisanter, huit heures par jour, et : elle est si fatiguée. Alors elle se contente d'être la nouvelle, un peu à part, un peu renfermée, ils pensent qu'elle est timide. Elle dit bonjour, elle sourit, elle se tait. Cela lui semble déjà un terrible effort, juste être là, avec d'autres qu'elle croise en baissant les yeux. Les groupes ont toujours effrayé Clémence. Par moments, quand Rémi et Flo se racontent des histoires en pouffant, elle se réfugie dans son rêve, dans cette boulangerie juste à elle, elle seule, ou peut-être à deux – elle sait qu'une boulangerie toute seule, ce n'est pas possible. Au fond, si Clémence les évite, c'est pour se mettre à l'abri de cette sensation cruelle et vertigineuse, sa propre transparence, son incapacité à se mélanger, les signaux d'alerte de son corps lorsqu'on s'approche d'elle et que le seul mot qui lui vient en tête est : danger. Elle en crève, de jouer cette foutue cinquième de l'équipe, elle aimerait tellement arriver le matin comme Cathie en claquant des bises à tout le monde et en commentant le programme télé de la veille avec de grands gestes exaspérés – mais en vérité, elle veut qu'on la laisse dans son coin, il n'y a que ça de bon pour elle, les coins. Elle n'oserait pas faire du bruit, faire de la voix. Elle, elle se coule dans la boulangerie, elle n'est pas certaine que Flo l'entende quand elle murmure un bonjour feutré. Hormis quelques mots pour demander une farine ou dire de sortir les pains, la boutique reste silencieuse jusqu'à ce que les filles arrivent pour l'ouverture. Alors, tout reprend vie. Tout reprend du son, des exclamations, des rires. Clémence, elle, n'en est pas capable. Cela vient d'elle, la chape de plomb. Elle regarde Flo qui s'étire et jacasse près de la caisse, fuyant sa morne compagnie. Elle pense : il faut que je fasse un effort. Et puis – c'est trop dur. Elle reste derrière la vitre et derrière la buée, là où on ne la voit pas, là où on ne l'entend pas. Ses journées sont des navettes silencieuses entre l'espoir et ce terrible enfermement.

De l'extérieur, rien ne transparaît de la détresse de Clémence quand elle est mise à l'écart d'un rire ou d'un bavardage ; mais à l'intérieur, c'est tout noué. C'est comme ça. Ça non plus, ça n'a pas changé. Elle s'accroche, elle ne lâche pas pourtant. Si elle lâche – c'est Thomas qui gagne. Entre eux, il n'y a jamais eu de juste milieu : toujours un gagnant et un perdant. Pas d'égalité. Pas de compromis. C'est pour cela que, de jour en jour, malgré la fatigue et malgré le malaise, elle s'oblige à parler avec Rémi et Flo, elle essaie de s'exclamer devant les nouvelles chaussures de Cathie dont elle n'a, réellement, rien à faire, qu'elle partage un pain au chocolat avec Samira alors qu'elle n'a pas faim. Pour ne pas être complètement à part. Pas à la marge. Pas coupée des autres comme avant. Finalement, elle n'a pas quitté grand-chose en changeant de maison et de travail, elle n'avait plus d'amis. Thomas les avait tous mangés. Disparus, sauf Manon, qu'elle appelait en cachette. Aujourd'hui, quand elle se remémore tout ce que Thomas a brisé en elle, elle est stupéfaite d'avoir accepté tant de – humiliations, dominations, démentes exigences ? De ne pas avoir dit stop. Pas capable. Pas de lucidité. Elle a compris tard, un jour où Manon lui a murmuré, après un week-end dans l'horrible maison de campagne : *Écoute, ce que tu viens de me raconter. Si c'était moi à ta place, moi qui te racontais tout ça, et que Pierre m'avait fait ce que t'a fait Thomas, qu'est-ce que tu penserais ? Qu'est-ce que tu me conseillerais ?* Après un long, un affreux moment, le temps de se mettre dans la peau d'une autre, d'entendre ce que Manon lui confiait des terribles nuits, des gestes qui se faisaient, des mots qui se hurlaient, Clémence avait répondu, d'une voix à peine audible tant l'émotion la submergeait.

Je dirais qu'il est dingue, que tu es folle de rester et qu'il faut le quitter tout de suite. Il n'est pas seulement bizarre, il est dangereux, Manon. Trop dangereux. Dégage. Dégage !

Il fait nuit quand Clémence sort pour aller travailler. À cette heure-là, il n'y a pas de transports en commun, elle a gardé l'habitude du vélo. Un quart d'heure vingt minutes à pédaler à quatre heures et demie du matin dans les rues de la ville. Que ce soit l'été ou l'hiver, il fera toujours noir quand Clémence partira. Une vie de fou. Cela résume bien les choses, pense-t-elle sous la lumière des réverbères : une vie de chien. Faut-il l'aimer, ce métier. Faut-il avoir envie de ces drôles de jours qui se passent à moitié la nuit, à piétiner des journées dans une salle à trente ou trente-cinq degrés à cause des fours, sans week-ends, sans souplesse, c'est pour cela qu'on a du mal à trouver des boulangers – trop dur, mal payé, mal aimé. Du travail pour des gens qui n'ont ni famille ni amis. Est-ce que ce n'est pas parfait ? Les yeux embués de larmes, Clémence, c'est l'air frais du matin quand ce n'est pas encore le matin, ça coule le long de ses joues, ça file aux oreilles, avec la vitesse du vélo. Quatre kilomètres à pédaler au réveil, à mettre au four, dès l'arrivée, les pâtes préparées la veille et bloquées dans la chambre de pousse, puis ouvrir les sacs de farine aussi lourds qu'elle, ajouter la levure, l'eau, les additifs, lancer les pétrins, surveiller les fours, courir, courir, jusqu'à onze heures, ça y est, elle a fini. À demain, dit-elle en l'air avec un signe de la main. C'est encore le matin et la journée s'achève, et demain sera pareil, et après-demain aussi.

Quand elle quitte le travail, Clémence n'a qu'une envie : rentrer chez elle. Pour fuir la boulangerie qui reste un univers – non pas hostile, mais étranger, froid, impersonnel ; et pour trouver refuge dans la petite maison qu'elle referme sur elle comme un cocon. Mais une fois chez elle, Clémence n'attend qu'une chose : quitter sa bicoque. Échapper aux pensées trop sombres et à la solitude, être avec les autres, avec des gens vivants, heureux, et si cela déteignait sur elle hein, avec un peu de chance. Clémence fuit. Clémence n'est bien nulle part, ni de là où elle vient, ni là où elle va. C'est juste un espoir – que ce soit mieux ailleurs. Mais le problème est à l'intérieur. Le problème, c'est elle, dedans elle, et ça, ça ne se laisse pas à la maison ou à la boulangerie. Ça l'accompagne partout. Ça commence le matin à l'instant où elle s'éveille : un courant électrique, une décharge d'adrénaline qui monte du nombril à la gorge, et tous les souvenirs sont là, que la nuit avait emportés. Toutes les peurs, toutes les angoisses, tout l'effondrement. En un éclair, c'est revenu. Aujourd'hui, il n'y a aucun endroit, aucun moment où Clémence s'apaise. Tout est douleur. Au fond de son ventre, ça se dévore, les journées entières, les unes après les autres. Être mal tout le temps. Encore, et encore.

La femelle du coucou pond ses œufs dans le nid des autres oiseaux. C'est la meilleure façon qu'elle ait trouvée de faire des paquets de bébés coucous chaque année, qu'elle ne pourrait pas élever elle-même en aussi grand nombre – mais aussi parce que le coucou est une espèce qui migre sans cesse et ne reste pas suffisamment longtemps au même endroit pour préparer un nid, couver ses œufs et nourrir ses petits une fois éclos. La femelle éjecte un œuf du nid de l'oiseau hôte et pond le sien – un seul – à la place. Lorsque le poussin coucou naît, aveugle et sans plumes, la première chose qu'il fait est de jeter hors du nid les œufs non éclos ou les bébés oiseaux autres que lui. Ainsi, il reste seul nourri. Ce qui est fascinant, c'est la taille du coucou : très vite, il devient plus gros que les parents adoptifs qui l'alimentent. Il ressemble à un ogre qui pourrait les engloutir d'un coup de bec. Or, il ne le fait pas. De leur côté, jamais les parents trompés n'arrêtent de le nourrir, semblant ignorer que ce poussin-là est un imposteur, alors même que son apparence n'a rien à voir avec la leur. Bref, le coucou est une belle saloperie. De là vient aussi le *coucou* que l'on adressait, il y a longtemps, aux mariés trompés ou aux couples adultères – et qui s'est transformé en *cocu*. La première fois qu'elle l'entend chanter cette année, bien tard en saison, Clémence a quelques pièces de monnaie dans la poche, qu'elle tapote pour les faire tintinnabuler. Elle entend le coucou, ne le voit pas. Trop petit le jardin où elle est venue s'asseoir après le déjeuner, après la sieste, après les rangements, l'oiseau doit être caché dans le parc derrière les maisons.

Lorsqu'il pond dans le nid d'espèces méfiantes, le coucou a la capacité stupéfiante de changer la forme ou la couleur de ses œufs pour que les rouges-queues ou les rouges-gorges, ses hôtes préférés, n'y voient que du feu. Du début à la fin de son histoire, se dit Clémence, cet oiseau n'est que mensonge. Il n'y a pas que les hommes. Il n'y a pas que la civilisation. La nature est le premier modèle de la duperie et de la cruauté, mais cela, ce sont des mots que l'humain a mis dessus : juste, c'est la nature. Il n'y a qu'à suivre son exemple. Thomas a fait cela. Il est de la race des coucous, il a su s'adapter pour lui plaire, a su la séduire, au-delà de l'imaginable. Au point de lui faire faire – tout, absolument tout.

Et elle, Clémence, est-elle donc aussi stupide qu'un rouge-gorge pour ne pas s'être aperçue qu'elle dormait avec un monstre ? Comment a-t-elle pu ne pas voir ? Il a poussé hors du nid tous les autres, ceux qui auraient pu la sauver, il l'a isolée du monde, édifiant autour d'elle l'immense solitude qu'elle croyait aimer. Pour qu'il ne reste que lui, lui, lui.

Depuis quelques semaines, elle les a appelés, les amis qu'elle avait quittés pour lui. Quelques-uns. Deux. Trois ? Mais c'est trop tard tout cela. Ils n'ont plus rien à se dire. Les voix sont gênées, la complicité a disparu. Clémence a manqué ce qui s'est passé pendant un an ou deux de silence et de ponts rompus, un mariage, une séparation, un deuil, un déménagement, un nouveau travail, il y a trop à rattraper. Ils murmurent d'un ton enjoué, elles et eux : *On se tient au courant ? On se rappelle ?* Au moment où Clémence fait glisser son doigt sur la touche rouge du téléphone, elle comprend qu'il n'y aura pas d'après. C'est inutile de leur raconter. Inutile de s'excuser, de ramper comme elle avait pensé le faire, et tant pis si c'était le prix. Quelque chose est cassé et quand c'est cassé – eh bien : c'est fichu. On peut le recoller. On peut le repriser, le rapiécer, mettre du fil, on peut restaurer aussi les corps, mais cela se verra toujours.

Clémence trempe le bout des doigts dans le bassin au bord duquel elle est assise. Les poissons se dispersent, s'égaillent. Elle cherche du regard le poisson abîmé, observe les boursouflures sur son dos. Oui, c'est réparé. Pourtant, on ne voit que cela, la réparation. La blessure est plus monstrueuse encore une fois qu'elle est guérie. Pour la victime, c'est double peine. Clémence ferme les yeux. Peut-être que les quatre autres poissons se foutent de sa gueule, au demi-mangé. Peut-être que ses amis ne répondent plus au téléphone, qu'est-ce qu'on en a à faire ? Clémence, elle, elle a au moins Manon. Ce n'est pas rien, ça. C'est même le contraire de rien : Manon, c'est – toutes ses amies. Une seule, au bout du compte. Il ne fallait pas se tromper hein. C'est drôle parce qu'elles se ressemblent si peu, toutes les deux, personne n'aurait parié un centime sur leur amitié au collège. C'est sans doute ça la recette, deux filles qui n'étaient, ne sont jamais en concurrence, différentes au point qu'il n'y avait de place que pour la complémentarité entre elles. Manon et son goût des chiffres et de la fête – Clémence déjà timide, et déjà ses notes calamiteuses à l'école, puisqu'elle avait décidé qu'elle ne serait plus première de la classe, et pourtant elles ne se sont jamais perdues de vue, même quand on a orienté Clémence vers un CAP. Alors c'est sûr, heureusement que Manon est là. Cela ne console pas entièrement des autres qui ont tourné le dos, mais c'est une petite bouée qui tient Clémence hors de l'eau. Parce que les autres, oui –

Juste, ça fait mal.

Ce qui fait mal, ce n'est pas tant la voix qui hésite au bout du fil, ce n'est pas l'embarras si grand qu'il s'entend. C'est le vide quand on raccroche. C'est savoir qu'on continue à être seul, affreusement seul. Elle n'en finit pas de se le dire, Clémence, cela tourne en boucle dans sa tête.

Seule, quoi qu'elle fasse.

Derrière la haie de thuyas, Clémence observe le jardin du voisin. Un grand jardin bien entretenu. Le voisin arrose chaque jour. Ils ne se sont jamais vus. Ils ne se sont jamais parlé. C'est ça la ville. Plein de monde – plein de gens seuls.

Regarde-toi.

C'est ce qu'il disait, Thomas. *Regarde-toi.* Que pouvait-elle espérer de mieux que lui ? Bon sang, elle est partie, c'est sa faute à elle si plus personne ne l'aime.

Pourquoi t'es partie ?

Elle le sait bien.

Peut-être qu'elle n'aurait pas dû.

Peut-être que ce foutu jardin lui rappelle la forêt là-bas, et la voix de Thomas à son oreille, c'est tout ça qui se mélange là-dedans, elle le sent, qu'elle est aussi petite et aussi minable que ce qu'il lui a mis dans le crâne. Lentement, elle sort son téléphone de sa poche. Un téléphone tout neuf, avec un numéro tout neuf. Elle n'a donné ses coordonnées qu'à Manon et à son ancienne patronne, qu'elle a quittée à regret. Dans les contacts, personne ne s'appelle Thomas. Il n'existe plus. Mais son numéro, elle le connaît par cœur. Alors elle tape les premiers chiffres sur l'écran. Elle en tape deux. Elle en tape quatre. Elle rit, provocante : *Genre !* Elle en écrit un de plus. Cela cogne dans sa poitrine, comme si elle se rapprochait de lui. Plus qu'un. Elle a l'impression que Thomas arrive au bout du jardin, qu'il va s'asseoir près d'elle. Qu'elle pourra enfin lui dire ce qu'elle a en mémoire, en rancune, pour guérir pour de bon, après ce sera fini. Elle secoue la tête, inscrit le huitième chiffre, taquine. *Hey. Ça te dit quelque chose, ce numéro ?* Soudain, elle retourne l'écran sur sa cuisse pour ne plus le voir. Puis le reprend. Un, deux – les dix chiffres apparaissent. Ils sont prêts. Elle fixe, incrédule, le numéro de Thomas. Il n'y a plus qu'à appuyer sur *appel*. Clémence ne rit plus, elle a les yeux qui piquent. Un doigt en l'air. Il suffit d'une pression et : elle entendra sa voix. Il aura son nouveau numéro à elle. Elle ne sera plus seule. Dans l'image assise à côté d'elle, il y a le regard de Thomas, et Thomas la regarde.

Alors, je ne te l'avais pas dit ?

Clémence a lâché le téléphone comme s'il brûlait. Les mains tremblantes, elle le ramasse, efface les chiffres les uns après les autres, épouvantée. Efface tout. Éteint, pour être sûre. Il n'y a même plus la lumière de l'appareil dans le petit bois. D'un coup, elle lève les yeux. La nuit commence à tomber sous les feuillages épais, elle ne l'a pas vue venir.

La nuit ?

En une fraction de seconde, Clémence est sur ses pieds, affolée. Au bout du jardin, elle devine la clarté du jour qu'aucun arbre n'entrave. Là-bas, se dit-elle, mais la pensée est trop lente, son corps est déjà parti. Cours. Cours ! Encore une fois, elle fuit. La forêt, la nuit, les monstres. Les monstres – cela existe. Quelques secondes et elle se rue à l'intérieur de la maison et verrouille derrière elle avec sa respiration qui fait un bruit de machine rouillée.

Dès la première fois dans les bois, elle avait eu peur. Elle avait compris : quelque chose ne tournait pas rond. Mais Thomas avait déjà fait vaciller sa raison. Amoureuse – il la façonnait depuis des mois. C'est pour cela qu'elle n'avait pas dit non. Bien sûr que c'est incompréhensible, de l'extérieur. Vu par le regard des autres, par le sien aujourd'hui. Seulement à ce moment-là ? Depuis un an, Thomas l'avait prise dans sa toile. Il était ce qu'il ne serait plus jamais par la suite, celui qui avait fait croire à Clémence qu'elle était une princesse, et que les princes existent. Cela ne sert à rien d'y penser. Cela ne sert à rien de dire qu'il était doux, attentionné, joyeux, fou d'elle, c'était avant, c'était faux, c'est fini. Mais quand même – lorsqu'il avait fallu raconter à Manon pourquoi elle s'accrochait à lui. Oui, pendant un an, Thomas a été doux, attentionné, joyeux et fou d'elle. Le soir, il prenait les étoiles dans le ciel et les lui posait sur les yeux, pour qu'elle brille tel un petit soleil. Quand elle était de repos, il préparait son petit-déjeuner, qu'il laissait avec un mot sur la table – *Bonne journée ma petite boulangère, mon petit chat*. Ça, et les milliers de détails dont il a embaumé son existence cette première année, les fleurs, les chocolats, les surprises, les virées, et puis ces choses incompréhensibles : la tendresse, la fusion, l'amour, quoi. Évidemment qu'elle était elle aussi folle de lui. Évidemment qu'elle aurait tout fait pour le garder – tout lui paraissait normal, rien n'était trop beau pour Thomas, pas même les nuits dans la forêt.

Clémence, ça la fait crever que plus personne ne l'appelle mon petit chat. Ça lui manque. Parfois, elle retournerait chez Thomas juste pour entendre ces trois mots-là. C'est con mais c'est comme ça.

Cette maison dans la campagne, elle la connaissait bien. Il l'avait emmenée dès le départ, quelques week-ends à la belle saison. C'était une grande demeure en brique et en pierre, avec des jardins devant et derrière, avant la forêt. Thomas lui avait dit qu'il y avait quarante hectares. Il ne lui avait jamais proposé d'aller se promener là-bas. Parfois, quand elle avait envie de marcher, il la guidait sur les petites routes, le long des sentiers balisés, dans les bois communaux. Lorsqu'elle évoquait la forêt qui jouxtait la maison, il haussait les épaules.

Pas belle. Pas entretenue. Pas le temps.

Alors cette forêt-là, au bout d'un an, elle n'y avait pas mis les pieds. Elle la contemplait depuis la terrasse où ils prenaient un café en bavardant. Parfois, un lièvre se montrait en bordure, hésitait, retournait sur ses pas. Au printemps, elle entendit le chant de ce putain de coucou. Mais jamais elle n'y mit un pied, et c'est après un an qu'elle comprit pourquoi – elle n'avait pas eu le droit de la découvrir, parce qu'il ne fallait pas qu'elle la connaisse.

Un soir d'été, Thomas avait pris la main de Clémence et avait eu un signe de tête. *On y va ?* Elle avait su aussitôt de quoi il parlait. Maintenant, en pleine nuit ? Il y avait un peu de lune. Il avait insisté. *Tu as peur des ogres*, s'était-il moqué gentiment. Si seulement elle avait mieux écouté le son de sa voix. Ils avaient fait le tour du bois. Thomas lui avait montré les murs d'enceinte, les grilles en métal soudé avec leurs serrures verrouillées. La pensée l'avait traversée en même temps qu'il lui avait dit : *On ne peut pas entrer. On ne peut pas sortir.*

Et il l'avait laissée.

Oui laissée.

Dans la nuit. Dans la forêt.

Elle s'était retrouvée sans lui. Seuls ses mots palpitaient à son oreille – un jeu, c'était un jeu. Une sorte de chasse, quelque chose qui n'existerait que pour eux, tellement érotique avait-il chuchoté contre elle : il lui donnait un peu d'avance, elle se sauvait, il essayait de l'attraper. Un jeu débile, s'était-elle dit, le regard incrédule. Un jeu d'enfant gâté, de sale gosse – gosse de riche. Lui le chat, elle la souris. Il avait ajouté qu'elle était la plus jolie souris qu'il ait jamais connue. Elle avait senti, au bout de ses doigts quand il la tenait, l'excitation qui le faisait presque trembler. *Allez,* avait-il imploré. Juste un jeu. Juste un peu, et il lui avait pris le bras pour dégager sa montre : juste une heure.

Pour qu'on s'éclate, pour que les sensations explosent, et cela lui avait traversé la tête, Clémence, s'il voulait dire que, sans cela, il n'y avait pas grand-chose entre eux, s'ils en étaient déjà au point qu'il faut des subterfuges – mais il la pressait, l'idée était partie, il avait chuchoté qu'après, ils feraient l'amour, couchés dans la forêt, il s'allongerait sur elle et elle verrait, derrière lui, les étoiles dans le ciel. Elle avait failli demander : combien de fois il avait déjà fait cela. Elle s'était tue. Elle ne voulait pas de réponse. Elle préférait garder l'espoir qu'elle soit la première, qu'elle soit la seule. Que jamais il n'aurait osé imaginer, et jamais il n'aurait espéré. Elle savait que c'était faux, à cause de la petite voix tout au fond d'elle qui lui murmurait, depuis des semaines maintenant, que quelque chose clochait – et c'était cela qui clochait.

Mais elle avait couru.

Elle avait crevé de peur, dans cette putain de forêt.

Et lui – un malade, un taré.

Mais puisqu'elle l'aimait.

Bon sang, qu'elle l'aimait.

Alors elle court, Clémence, aujourd'hui elle court encore, dans l'obscurité de la ville. C'est un étrange paradoxe : elle court la nuit, là où ça fait peur. Oh – jamais autant que là-bas. Ici, il y a des lumières dans les rues, qui chassent la terreur. La nuit sous les réverbères n'est pas vraiment la nuit. Elle court, elle ne connaît que cela pour ne pas crever. Aux limites de l'épuisement, du cœur qui lâche, de la poitrine brûlante dont les rauquements lui remontent dans la gorge avec cette acidité qui donne des haut-le-cœur. Pour sauver sa peau, ou pour se punir, elle ne fait plus la différence, tout est confondu ce soir dans les rues qu'elle dévale, qui montent, qui descendent, un peu, surtout elle ne ralentit pas. Quand on souffre, on est certain de ne pas être mort.

Les gens qu'elle croise parfois : se disent qu'à ce rythme, la fille qui court n'ira pas loin. Certains le lui crient, les mots la suivent, moqueurs, ils ignorent à quel point ils se trompent. Clémence ne s'arrête pas. La ville n'est plus qu'une succession de trottoirs, des lignes de macadam enchevêtrées, une vision brouillée qui ne cède pas, et à cet instant enfin Clémence se rappelle pourquoi la maigreur et pourquoi la course, elle ne pèse rien sur le bitume, elle est capable d'emmener son corps pendant des heures, elle peut échapper à n'importe quoi. À n'importe qui.

Après la douleur. Après la tentation de céder et de revenir au pas, non non il ne faut plus, elle a vu ce que cela faisait de s'arrêter, elle s'oblige à passer par-delà les jambes tétanisées et le souffle rompu, quand quelque chose d'indicible prend le relais et la transforme en bête, en machine, en démon.

Cours.

Les pensées ont disparu, son cerveau a coupé les ponts. Il reste cet étrange instinct de survie, elle ne sait plus rien, juste qu'il faut courir, elle est devenue l'antilope qu'un lion poursuit, le cerf traqué par les chasseurs. La nuit avance sur sa respiration régulière, sur ses yeux écarquillés. Le temps – le temps joue pour elle, là aussi elle a oublié pourquoi, elle regarde sa montre, plus qu'une heure. Pourquoi ?

Une heure et elle s'écroule. Cela vient d'un coup, comme si elle avait été assommée, comme si quelque chose en elle lâchait prise, au fond de ses pensées il est l'heure il est temps, elle roule sur le sol. Dans sa chute, elle sent qu'elle se fait mal, genoux éraflés, la brûlure au coude, à l'épaule droite. Mais pas – pas s'arrêter. Elle est à deux rues de chez elle, elle a remonté les avenues une à une. Alors elle continue. Sans jambes, sans souffle. Elle rampe. Elle traîne derrière elle, les abîmant sur le trottoir, ces cuisses et ces mollets qui ont abandonné, qu'aucun nerf n'arrive à jeter debout ni même à remuer. Elle est une sorte d'insecte cogné sur un pare-brise auquel ne reste que le haut du corps pour voler de travers ou regagner le bas-côté sur la moitié de ses pattes, elle pleure en serrant les dents pour ne pas faire de bruit, il n'y a plus personne dehors, seule la rue d'après existe, et le portillon qu'elle pousse du bout des bras, sa silhouette repliée à l'intérieur contre le muret, les sanglots, Clémence se fige, attend. Que cela passe, le mal de vivre.

Que cela revienne.

Qu'au creux de ses reins la vie l'émerveille. Qu'au creux de ses mains quelque chose se pose.

La nuit n'en finit pas.

Sur le canapé, Clémence a posé le livre qu'elle ne lit pas. Elle a pris son cahier pour écrire, et elle n'écrit pas. Ce sont des nuits où rien ne vient, ni le sommeil ni le reste. Des nuits où l'on regrette de n'avoir personne à appeler, personne à qui parler. Peut-être que si Clémence avait ne serait-ce qu'un chien ou un matou, cela suffirait ; elle lui raconterait sa vie, ses malheurs, ses miettes d'espoir. Mais elle n'a rien, Clémence, plus rien pour le moment, tout est à reconstruire. La seule chose de vivant qu'elle ait emportée de son existence d'avant, ce sont les plantes vertes.

Clémence s'oblige à tracer quelques mots pour se donner de l'élan, le crayon glisse sur la page. Il n'y a pas de mots. Juste un trait qui ne veut rien dire. L'ampleur de ce qui l'attend l'effraie, elle ne sait plus être avec les autres, n'a plus confiance. Elle voudrait repartir de zéro, être quelqu'un de neuf. Nouvelle maison, nouveaux visages. Changer jusqu'au dernier de ses vêtements, la marque de son savon, celle du café. Couper avec les gens, les odeurs, les lieux, les habitudes. Elle avait l'impression de l'avoir fait, tout cela. Mais ça ne vient pas d'un coup. Il faut du temps, et le temps qui passe est empreint de peur et de solitude. Et pour revenir à quoi – ce qu'elle est, elle et seulement elle, fondamentalement.

Pas grand-chose. Pas étonnant qu'elle ait si peu à écrire.

Voilà ce qu'elle n'est pas capable de concevoir encore, l'immensité de la tâche. C'est comme essayer de regarder le ciel en entier, la nuit : c'est trop grand. On a beau faire, l'œil ne saisit qu'une infime partie de ce qu'il y a à voir. On ne peut y arriver que morceau après morceau, quand on voudrait tout contempler d'un coup, tout de suite.

Clémence pose le crayon, elle ferme le cahier. Elle s'étend sur le canapé et éteint les lumières – sauf une. Il faut s'obliger à dormir. Il ne reste que quelques heures avant que le réveil sonne, à quatre heures, elle sait déjà l'épuisement au moment où elle devra se lever coûte que coûte, même harassée, même le visage baigné de larmes – même le ventre tordu par la vie. Au début, la nuit, elle gardait aussi la musique en route. Un CD tout bas, en mode *repeat*, pour remplir le silence. Est-ce que réussir à se passer de la musique, est-ce que ce n'est pas déjà une grande petite victoire ? Pour la lumière, c'est trop tôt. Elle ne peut pas l'éteindre. Pendant des mois pendant deux ans, certains week-ends, dans la chambre où Thomas ne dormait pas, elle n'éteignait jamais. Elle n'y arrivait pas – et cela continue. Elle laisse la lumière la protéger. Bien sûr que ce n'est pas vrai : pendant ces deux années, Thomas est venu la chercher au milieu de la nuit alors que la lampe était allumée. Mais s'il n'y a plus de lumière, il n'y a plus rien. Il faut la laisser quand même. Sans elle, ce serait pire.

À côté de la lampe, il y a une bougie et des allumettes. Là-bas l'été, les orages faisaient sauter les plombs.

Plus jamais, plus jamais.

Clémence a deux anges gardiens. Un pour tous les jours – et un pour le jour où le premier serait malade. C'est à cette condition qu'elle continue à vivre. C'est en vérifiant leur présence chaque soir qu'elle arrive à s'endormir, un peu. Des bribes. Des obscurités pendant lesquelles les heures s'égrènent au rythme d'un livre ou de pensées absurdes, quand la fatigue la terrasse mais ne fait jamais place au sommeil, une sorte d'alerte, de vigilance inutile, elle en pleure parfois, à cause des nerfs, du lendemain où il faut enchaîner avec le travail, le réveil sonne, elle l'arrête, c'est le matin.

Dans les rêves extravagants de l'aube, elle a rangé ses vêtements dans sa maison exactement comme chez Thomas, exactement bien pliés bien posés. Ensuite, elle a préparé le déjeuner en attendant qu'il rentre. Il a ouvert la porte et elle a souri en guettant son humeur aux traits de son visage.

Et puis elle s'est réveillée, les larmes aux yeux.

Alors en vrai, dans le placard, elle a mis ses affaires en désordre, pour être sûre. Son cœur bat comme un fou. C'est difficile d'essayer d'oublier tout en déballant des souvenirs, se dit-elle, difficile de faire du neuf avec du vieux, mais elle ne peut pas tout changer, pas tout jeter, dans quelques mois on verra, avec un peu d'argent, un peu de force.

Beaucoup de force, pour ne pas revenir.

Trop de force.

Tellement seule.

Tellement petite.

Tellement – tête à claques.

Bouge-toi, pauvre idiote. Voilà ce qu'elle se dit. Si elle était une autre, elle serait déjà sauvée. Et si elle était une autre, jamais elle n'aurait été prise au piège. Elle ne sait toujours pas si elle pourra s'en sortir. Souvent, le doute est fort au-delà de ses forces à elle. Quand son humeur est moins noire, elle murmure les mots meilleurs, ceux qui l'aident, ceux qui promettent : *Demandez, et l'on vous donnera. Cherchez, et vous trouverez. Frappez, et l'on vous ouvrira.* Ces mots-là qui donnent du courage, auxquels elle croit dur comme fer, un jour oui. Mais pour l'instant, ça ne marche pas. Il manque quelque chose. Il manque quelqu'un. Pour lui tenir la main, pour la tirer hors du marécage où elle s'est empêtrée. Toute seule, c'est trop dur. Cela fait des semaines qu'elle l'a compris, et elle y pense assise à l'ombre de ses nouveaux arbres, protégée du soleil, protégée de la pluie. Dans son jardin magique, l'après-midi, elle lâche la bride à son imagination. Elle lui donne la permission : *Va ! Pense aux choses telles que tu voudrais qu'elles soient, même si c'est impossible. On s'en fout, si c'est impossible. On verra après.* Dans sa poche, elle tient le téléphone sans jamais le sortir. C'est son lien, son espoir. Elle n'ose pas s'en servir. Elle n'a pas appelé depuis des années. Thomas ne voulait pas. La personne que Clémence n'arrive pas à appeler est la première que Thomas ait éradiquée de sa vie. Peut-être parce qu'il avait compris que c'était la plus importante – et Clémence l'a sortie de son existence comme si elle lui avait fait du mal, quelqu'un qui ne lui a jamais voulu que du bien elle le sait. Alors elle dessine son visage dans sa tête et cela la réconforte en même temps que ça lui brise le cœur.

La main serrée sur le téléphone. Bien sûr il faudrait – mais comment fait-on pour s'excuser d'avoir coupé les ponts sans explication, juste quelques mots, de plus en plus courts, de plus en plus secs : *Je suis grande maintenant, il faut me laisser.* Comment arriver à taper les dix chiffres, comment demander pardon ? Clémence s'enroule encore un peu plus sur elle-même, inutile, trop difficile. Tant qu'elle n'appelle pas, elle peut espérer qu'on l'aime toujours, et elle chuchote le mot de sa voix basse et suppliante, une prière, une supplication qui ne sert à rien, c'est comme ça, c'est là.

Maman.

Clémence est une enfant de vieux. Ses parents disaient qu'ils avaient eu une fille à l'âge où les autres ont une petite-fille. Clémence, cela ne la faisait pas rire. Car c'était vrai. Quand elle avait dix ans, son père en avait cinquante-quatre et sa mère cinquante-deux ; quand celle-ci venait la chercher à l'école, ses amies criaient : *Clémence, c'est ta grand-mère là-bas !* Oh la honte sur ses joues. Très vite, elle avait interdit à sa mère de l'attendre aux grilles de l'école. Elle la rejoignait une rue plus loin, à l'angle, là où on ne les voyait pas. Elle l'embrassait furtivement, au cas où des enfants qu'elle connaissait passeraient au même moment. Déjà, elle s'enfuyait. La différence, c'est qu'à cette époque, sa mère lui tenait la main. Sa mère qui souriait, ne disait rien. Elle avait forcément compris. Elle comprenait tout. En dehors de ces moments terribles devant les grilles de l'école, Clémence l'aimait sans réserve, d'un amour fou, comme seuls le ressentent ceux que l'abandon effraie. Et finalement ce serait elle, Clémence, qui abandonnerait sa mère.

Pour ses onze ans, ses parents avaient divorcé. Pour ses onze ans – ils s'étaient séparés quelques jours avant son anniversaire, et pour la première fois il y avait eu un gâteau sans son père. Son père qu'elle n'avait presque jamais revu. Il avait refait sa vie, selon cette affreuse expression qui sous-entend que l'on peut gommer celle d'avant et recommencer comme si de rien n'était. Un coup de baguette magique : disparue Clémence, et disparue sa mère. *Il ne reste que nous deux, maintenant.* Cette phrase, Clémence ne l'oublierait pas. Elle avait été tellement vraie, tellement d'années. Même au moment des rébellions, des premières cigarettes et des premiers garçons. Même au temps où vient la maturité, et celui des vraies relations, de l'avenir en cours – Clémence et sa mère avaient été avant tout des complices et des amies.

Et puis il y avait eu Thomas.

Et puis tout s'était arrêté.

Clémence n'a pas vu sa mère depuis bientôt trois ans. Clémence sait que sa mère ne la reconnaîtrait pas. Pas seulement pour ce qu'elle est devenue : tout en elle a changé. Sa façon de s'habiller, sa façon de parler. La couleur de ses cheveux, parce que Thomas la préférait brune. La longueur de ses cheveux – il aimait les cheveux très courts et elle avait coupé ses longues mèches blondes.

Seule sa maigreur est un indice de ce qu'elle a été, mais la maigreur, cela ne suffit pas à faire un être. Clémence n'est plus non plus la fille de sa mère : elle est le chagrin de tout ce qui a été perdu. Parfois les sanglots l'étreignent quand elle pense à ce qu'elles deux ont traversé de souffrance, d'angoisse, de manque d'argent, ce qui les a soudées contre tout – presque tout. Les amies qui se moquaient de Clémence à l'école parce qu'elle était habillée de pantalons de velours qu'on leur donnait ; les vacances à la campagne chez les grands-parents, parce que c'était impossible de partir à la mer ; le studio dans lequel elles dormaient ensemble, sur un canapé refermé chaque matin, et malgré les efforts, et malgré le courage, parfois, les pleurs étouffés parce que la vie était difficile et triste, et c'était ainsi qu'il avait fallu grandir.

Mais surtout, il y avait eu Jean.

Surtout ?

Ce n'était pas grand-chose, Jean, pourtant. Une amourette de sa mère que Clémence n'aimait pas. Oui mais il y avait eu – alors oui, surtout, il y avait eu Jean.

Il était venu trop vite, trop partout dans le studio. À deux, elles tenaient. À trois, ce fut l'enfer.

Clémence avait douze ans à ce moment-là ; à douze ans, on comprend tout, même les regards échangés en douce et les mots à demi tus, la lourdeur des silences, les gestes agacés. Et si elle n'avait pas été sûre, elle avait entendu : les disputes. À cause d'elle, le plus souvent. Car elle était là, Clémence, avec son caractère ombrageux, et pour un bout de temps. Elle était là et c'était compliqué de faire des projets – il fallait des projets pour trois, il n'était pas son père, elle n'était pas sa fille, en quelques mois ils s'étaient mis à se détester en cachette. Il demandait qu'elle aille chez des amies après l'école, qu'elle parte chez ses grands-parents pour les week-ends et pour les vacances. Il la poussait toujours un peu plus dehors – un jour, il réussirait à l'envoyer en pension, s'inquiétait-elle parce qu'il en avait parlé devant elle, il la séparerait de sa mère, elle ne savait pas l'expliquer, elle le sentait, et ce n'étaient sans doute que des peurs d'enfant mais elles étaient là, dans sa gorge, dans son ventre, Clémence ne voulait pas que l'amour s'en aille. C'est pour cela qu'un soir où elle aurait dû dormir, un soir où sa mère était sortie chercher des cigarettes dans un café encore ouvert – pour cela que lorsque Jean avait ouvert la porte-fenêtre sur la toute petite cour en chuchotant au téléphone, elle avait écouté. C'est pour cela qu'elle avait couru en pyjama vers sa mère quand celle-ci était rentrée, pour lui dire ce qu'elle avait entendu.

Après, il y avait eu les cris. Dans la cour de l'immeuble, sa mère avait exigé de voir le numéro que Jean venait d'appeler, le nom de la femme sur l'écran ; il avait refusé, les avait traitées de connes, toutes les deux, la petite moucharde et la grande idiote, il n'avait pas voulu partir quand la mère de Clémence lui avait dit – *Sors d'ici, sors, laisse-nous.* Il y avait eu les mains sur sa mère, qui la secouaient, qui avaient frappé, une fois, les mains qui déchiraient le chemisier sur le côté, là où la couture cédait, et Clémence avait été foudroyée sur place, Jean abîmait sa mère, il lacérait ce vêtement qu'elle avait eu tant de mal à payer, et elle s'était jetée sur lui en hurlant : *Laisse ma maman ! Laisse-la !*

Et cela n'avait rien fait. Clémence ne pesait pas lourd sur le dos d'un homme, même pendue à son pull, elle n'avait pas lâché mais elle se sentait voltiger sous les gestes de Jean, inutile, impuissante, terriblement trop petite et trop faible comme elle le savait déjà – c'était une chose d'en avoir conscience, et une autre de le vivre en vrai.

D'un balcon plus haut, quelqu'un avait crié. *Silence !*

Et puis : *Vous avez besoin d'aide, madame ?*

Jean avait pris sa veste et était parti en courant.

Quitté l'immeuble. Jamais revenu. Dégage, dégage. Il ne restait que Clémence et sa mère enlacées dans la cour, les larmes sur leurs visages, mouillées mélangées séchées peu à peu, à mesure que les sanglots s'atténuaient, elles étaient rentrées à l'abri dans le studio sans desserrer leur étreinte.

Une dispute banale, somme toute. Les cours d'immeuble sont pleines du souvenir de ces cris et de ces violences. Mais pour l'enfant qui n'avait jamais connu cela – un sentiment de danger terrifiant, immense, définitif. De ce jour, Clémence avait vécu dans l'effroi de mettre sa mère en danger. Car c'était à cause d'elle tout cela. Les tensions bien sûr, et la dénonciation de ce soir-là, la bagarre, et la violence – Clémence était à l'origine de la gifle, à l'origine du chemisier déchiré, et pire que tout : elle n'avait pas été capable de protéger sa mère. Elle passerait les quinze années suivantes à l'envelopper, à la préserver, à guetter ses réactions, son humeur, le chagrin, la fatigue, le renoncement. Chaque fois, elle serait là. Elle réparerait. Ce ne serait pas suffisant, bien sûr – sa mère avait en elle cette mélancolie qui venait de bien plus loin que la dispute ou, avant elle, le divorce, cela Clémence ne le savait pas. Ne pouvait pas l'entendre de toute façon. Elle s'était transformée en guerrière. Elle absorbait tout, les mauvaises nouvelles, les attentes, les désespoirs, la lassitude simplement. Deux choses avaient changé en elle : l'entrain forcé qu'elle mettait dans chaque journée pour la rendre plus jolie, et la dévorance dans son ventre, qui ne la lâchait pas. Mais on ne la prendrait plus en défaut. Elle ne serait plus jamais un poids plume au bout d'un bras ou d'un pull, que l'on secoue pour le faire tomber comme une poussière ou une mouche. Elle était là.

Jusqu'à Thomas.

Alors au fond, est-ce que ce n'avait pas été un tout petit peu de soulagement aussi, quand Clémence avait coupé les ponts avec sa mère ? Est-ce que le nœud dans son ventre n'avait pas été un tout petit peu moins lourd, la vigilance un tout petit peu moins épuisante ? Elle ne se l'était pas demandé. Il y avait eu ce relâchement incroyable, quand Thomas avait dit : *Appuie-toi sur moi. Je te tiendrai. Je te servirai de béquille tant qu'il faudra.* Et pendant un an, cela avait été vrai. Pendant un an, Clémence n'avait pas regretté d'avoir laissé sa mère sur le bord du chemin.

La saison qui commence est la plus difficile à la boulangerie : celle du beau temps. Celle qui a eu raison du bon air froid d'hiver, lui qui rafraîchit la salle de travail, quand la sueur mouille les charlottes et les dos et la paume des mains, et les visages sur lesquels la poussière de farine se colle et fait tousser.

Ce matin, madame Porte, la vieille dame au manteau turquoise, a fait un signe de l'autre côté de la vitre. À Clémence ou à Flo, ou à Rémi peut-être, avec cette fichue buée on ne distingue rien et madame Porte ne sait pas à qui elle a dit bonjour, ne sait rien des gens qui travaillent derrière. C'est simplement un geste, un automatisme, mais Clémence l'a vue, Clémence a souri. La vieille dame n'est pas la seule à saluer les trois fantômes de l'arrière-boutique. Chaque matinée, une dizaine de personnes ont un signe de tête vers l'autre côté du verre. Il y a monsieur Kléber, le retraité au chihuahua (il laisse son chien attaché sur le trottoir de la boulangerie et le cabot jappe jusqu'à ce que son maître ressorte, mais c'est mieux que madame Estie qui tient son caniche nain dans les bras tout le temps qu'elle commande son pain et, parfois, un gâteau ou une part de quiche, madame Estie qui jamais ne fera signe parce qu'il faudrait qu'elle lâche son *Empereur* et que cela, réellement, semble impossible) ; ou encore ce couple de filles qui achète deux croissants chaque matin et s'assied à l'une des trois tables en commandant un café, toujours de bonne humeur, toujours à les saluer de loin, Clémence se demande si elles sont ensemble depuis longtemps, ça a l'air tout frais leur histoire ; trois colocataires presque trentenaires systématiquement en retard, pour les études ou le travail, nourris de pizzas et de pains au chocolat et refusant de s'en passer parce qu'ils seraient en retard, au point où on en est disent-ils, hein Clément, hein Julius, hein Romain. Et puis deux ou trois jeunes femmes, Laura qui travaille chez elle et vient à n'importe quelle heure, Émilie qui est au chômage en ce moment, Valérie la livreuse qui prend le temps de bavarder, trois ou quatre retraités encore, madame Dejean et madame Amel qui ont l'air de se rencontrer par hasard et ont mille choses à se dire. Les autres, Clémence ne les a pas encore mémorisés, et chaque fois il y a ce sourire, ce signe pour elle aussi, et Flo et Rémi qui s'activent derrière la vitre, une seconde où elle se sent exister. C'est idiot parce qu'elle ne connaît personne, elle n'a jamais passé la cloison, cloîtrée derrière sa buée – mais Clémence, cela lui fait du bien. Le temps d'un clignement d'yeux, le temps d'un mensonge, cela lui fait de l'amour. C'est difficile à expliquer : jusque-là, il y a son âme, ou son ventre dévoré, qui ressemblent à des terres brûlées. Dedans, il n'y a plus rien. C'est un paysage après l'éruption d'un volcan, le monde après la fin du monde. C'est gris. C'est tout nu, tout lisse, on ne peut pas s'accrocher, cela brûle et on ne peut pas marcher. Et puis les sourires d'en face arrivent, que ce soit pour elle ou non, elle les attrape ; et là aussi, c'est comme le monde après la fin du monde. Mais plus tard. Au moment où les forces reprennent et que la terre renaît de ses cendres, parce que après la fin du monde, il y a le début du monde. Un autre. Le suivant. Au fond de Clémence, quelque chose revient à la vie. Elle perçoit presque physiquement la lumière et la chaleur, elle voit, imprimées sur sa rétine, les grandes herbes et les fleurs qui poussent et s'épanouissent et ondulent, qui font un pansement dedans son ventre, et toutes les douleurs et toutes les brûlures s'apaisent, cela dure un instant, un instant seulement. Pendant cet instant, elle entrevoit le salut. Au téléphone, elle raconte à Manon ces moments suspendus, elle demande : *Tu comprends ?* Manon rit, elle essaie d'imaginer, mais c'est difficile de se mettre à la place de Clémence, difficile de revenir de tant de noirceur, elle n'a pas connu cela, elle.

— J'ai l'impression d'avoir eu une vie tellement lisse à côté de la tienne. J'ai l'impression d'avoir eu beaucoup de chance.

— Ce sont les destins. On n'y peut rien.

Et c'est vrai que Manon a eu une existence toute linéaire, sans à-coups, l'existence de la majorité des gens, au fond, une bonne scolarité, des études, un métier de comptable, un mari (Pierre, aussi gentil et aussi réussi qu'elle), une maison et – à venir : deux enfants, peut-être trois. Est-ce plus simple d'être douce et souriante quand la vie a été facile ? Manon est douce et souriante. Tout le temps. Généreuse, empathique, elle dit qu'elle ne se force pas, elle est ainsi, elle n'a pas de mérite. Elle ne fait pas exprès d'être optimiste, pas exprès de rebondir sur la plus infime des brèches positives et de réconforter sans jamais vaciller ses amis dont l'existence est un désastre (Clémence en tête sans aucun doute). Clémence qui, à côté, fait figure de vilain petit canard. Pourtant elle n'a jamais été jalouse de la vie de Manon ; elle s'en réjouit pour elle. Elle ne l'a jamais enviée, et à part elle, elle sait qu'elle mourrait d'ennui à sa place. Alors ses trente années à elle l'ont salement chahutée, mais elle a vécu plein de choses, même des épouvantables, et elle peut imaginer des petits paradis plein de soleil juste parce qu'un client lui a souri le matin à la boulangerie, au fond, elle sait bien que ce n'était pas pour elle : c'était pour Samira ou Cathie, les filles de la caisse, celles que l'on voit, celles à qui l'on parle, tant pis, Clémence les a volés ces sourires-là, cela ne fait de mal à personne, et elle, elle en a tant besoin. Si sa vie était paisible et confortable, elle s'en moquerait. Mais là. Manon l'entend soupirer dans le téléphone et lui répondre :

— C'est pas grave. C'est juste que ça fait plaisir, ces gens gentils.

— Ce qui me fascine, reprend Manon, c'est ce don que tu as pour saisir les moindres petits moments positifs ; moi je n'y ferais même pas attention.

— Chaque soir, sur un cahier, j'écris trois bonnes choses qui me sont arrivées dans la journée. Je veux dire, il faut que j'en trouve trois, chaque jour, pour que la vie vaille d'être vécue, pour trouver une raison d'être. Et parfois il n'y a vraiment pas de quoi, alors peut-être que ça m'a poussée à remarquer le plus petit des petits riens pour pouvoir l'écrire le soir sur une page, tu vois ?

Il y a du silence au bout du téléphone.

— Tu es toujours là ? demande Clémence.

— Oui.

— Tu penses à quoi ?

— Je pense que j'aurais du mal à sélectionner trois bons moments par jour tellement il y en a. Je pense que ma vie est terriblement facile. Je pense que je ne t'aide pas assez.

Clémence glousse.

— Tu es la seule qui m'aide et tu as fait beaucoup. Juste ces coups de fil, c'est énorme pour moi. On continue comme ça ? Moi, ça me va bien.

Le coup de fil de Manon. À mettre dans mes trois choses bien d'aujourd'hui, note-t-elle en même temps. Comme les sourires de madame Porte ou de monsieur Kléber ou Julius. Ouf. Ça fait déjà deux.

Clémence ?

Elle sursaute. Devant elle, Flo se met à rire. *Oh*, dit-elle. Oh – on est à la boulangerie, il est sept heures, elle revient sur terre. C'est l'heure de la pause, une petite pause, le temps de fumer une cigarette pour Flo, elle a pris l'habitude de l'accompagner avec un café. Elle a mis un peu de temps, s'est dit : il faut que je le fasse. À présent, elle apprécie ces courts moments à deux, deux ce n'est pas trop, pas bruyant, Flo ne lui fait pas peur. Lentement, elle s'apprivoise. Parfois, lorsqu'il plaisante, elle rit ; cela lui semble étrange, ça résonne à l'intérieur, ça tire ses pommettes vers le haut. Elle pose ses doigts sur ses joues pour sentir le mouvement.

Tu es avec moi, là ?

Devant elle, Flo agite une main. Clémence sourit. Un murmure, elle répond : *Oui* en secouant la tête de gauche à droite. Oui mais non. Pour les indécisions, les réponses qui disent tout et son contraire. Flo s'en moque, lui tend un gobelet en carton, *J'ai déjà mis le sucre*, précise-t-il. C'est drôle comme un café tout prêt lui fait plaisir, à Clémence. Avant, c'était toujours elle qui préparait tout. Avant – avec Thomas. Elle avait l'impression d'être la boniche, que c'était normal, pas de merci ni de petit mot gentil, il venait près d'elle, tapotait sur la table, disait – *Tu as un café*. Ce n'était ni une question ni une prière, c'était un ordre. Clémence, cela lui fait penser aux ardoises dans certains bistrots : *un café : 2 euros ; un café-merci : 1,50 euro*. Alors elle sourit à Flo. Parce que cette gentillesse qu'elle a devinée les premiers jours ne s'est pas démentie, parce qu'il est attentionné, voilà : il lui permet d'exister. Certains matins, quand elle se sent mal à cause de la vie, quand cela se voit sur son visage (ses traits tirés, ses yeux creusés) – ces jours-là, Rémi se tourne, ne la regarde pas. Peut-être pour la laisser tranquille ; peut-être parce qu'il s'en fout. Flo, lui – Flo demande toujours.

Est-ce que ça va ?

Est-ce que je peux faire quelque chose pour toi ?

Mais non, jamais. Clémence sourit à travers ses yeux qui piquent, à travers la fatigue de la vie, chuchote que ça va. La voix de Flo, son attention, c'est comme le petit signe de la main de madame Porte ou monsieur Kléber le matin – une pommade que l'on met sur une blessure pour la calmer. Cela ne l'enlève pas, ce qui compte, c'est cet instant pendant lequel on n'y pense plus. Les vieilles dames et les vieux messieurs de la boulangerie sont des pansements.

Et la vieille dame n'est pas si vieille. C'est sa façon de marcher – à petits pas, un peu courbée, qui donne le sentiment de toute l'usure du monde.

Et Flo n'est pas si bête, il sait bien que ça ne va pas. Il ne dit rien. Adossé au mur, il se rapproche de Clémence, la bousculant tout doucement de l'épaule. Elle écarte sa main pour ne pas renverser le café, elle ne peut retenir un sourire. Elle le regarde. Il ne ressemble pas aux autres. Il est juste gentil, juste un nounours en peluche qu'on aurait envie de caresser pour faire du doux sur le bout des doigts, un petit frère, un ami un vrai si Clémence en avait. Il y a bien eu ce léger malentendu entre eux au départ, mais c'est fini. Clémence a l'habitude des malentendus, Thomas râlait que c'était sa faute à elle, on ne savait jamais ce qu'elle pensait ou ce qu'elle voulait dire, tout était brouillon en elle, brouillon désordre quiproquo, enfin au départ, Flo a cru que Clémence l'aimait bien. Et c'était vrai, même s'il a mal compris. Clémence l'aimait bien tout court. Pas de coup de foudre. Pas de vue sur lui – bon sang, dans son état, elle n'était pas capable d'envisager quoi que ce soit. Mais il l'a cru, et en allumant une cigarette, un matin, il lui a dit :

— Tu sais, Clémence, je ne cherche pas l'aventure.

Elle a levé les yeux sur lui, le temps de comprendre. Le temps de se rétracter tel un chat sauvage acculé dans un trou, avec le hérissement pareil qui lui a levé la peau, et pendant une fraction de seconde le réflexe est revenu, Clémence a détesté Flo. Une fraction de seconde pour fermer la peur et la violence au fond d'elle, il n'a pas fait exprès, Flo. Il ne sait pas, personne ne peut savoir à quel point Clémence est à vif, il ne faut pas la toucher, pas la blesser, elle est une bête au bout du rouleau. Ce qui lui vient c'est la haine, c'est Thomas qu'elle voit partout, avec ses remarques insidieuses, est-ce que Flo lui a fait une remarque insidieuse ? *Calme-toi, ma vieille,* a-t-elle pensé en respirant lentement. Oui tout cela : en une fraction de seconde. Éteindre ce qu'il y a dans ses yeux de colère et de glace, il n'a rien dit, Flo, répondre sur un ton ordinaire, pas méchant, pas tremblant, elle a réussi :

— Oh. Pas d'inquiétude, moi non plus. Surtout pas.

— C'est vrai ?

— Juré.

Il a froncé les sourcils, pris de court peut-être. *Je ne te plais pas ?*

Tu vois que ce n'était pas méchant. Clémence a tordu un sourire, elle a haussé les épaules. Il a inspiré la fumée de la cigarette, l'a recrachée lentement par la bouche. Il a commencé : *C'est pas toi hein. C'est juste que je sors d'un truc compliqué, alors…*

Et puis il a soupiré et il s'est tu. Il regardait la cigarette. Clémence a haussé les épaules à nouveau, elle s'en moquait, des explications, au fond d'elle le bouillonnement s'apaisait. Simplement, cela lui rappelait un peu trop qu'elle était moche ou sans intérêt, ou n'importe quoi d'autre que Thomas avait déjà prévu en lui conseillant de bien réfléchir parce qu'elle ne trouverait personne après lui, justement parce qu'elle était moche et sans intérêt, bien sûr que cela s'est mis à tourner dans sa tête. Alors elle a répété froidement, pour faire un contre-sort, pour faire une carapace.

— Pas de souci, Flo. Je ne suis pas là pour ça, je t'ai dit.

Il a éclaté de rire.

— Bon. Je ne veux pas que tu le prennes mal.

— Je le prends pas mal.

— Tu es sûre ? Je vois bien que ça ne va pas.
Elle, un geste brutal vers lui.

— Ça va, d'accord ?

Il a levé les mains.

— D'accord. Ouf. Clémence, je ne veux pas de
malentendu. Je suis un grand sensible tu sais – et
elle a fini par sourire.

— Moi qui te prenais pour un gros balèze.

— Je suis un gros balèze. Mais je suis aussi une
vraie fleur bleue.

La chance, elle a dit. *Moi, je suis juste une pauvre
fille.*

Il a rectifié :

— Une fille.

— Une conne.

Il a secoué la tête.

— Si, a-t-elle insisté. Je viens de servir de serpillière à un homme que j'ai pris pour le prince
charmant pendant trois ans et j'ai l'impression que
c'est entré dans mon ADN. Serpillière un jour,
serpillière toujours.

(Bon sang, elle a dit ça. Elle a vraiment dit ça,
là, à un inconnu, elle a eu l'impression de raconter
sa vie en dix secondes quatre-vingt-seize, elle a osé
et il ne s'est rien passé de grave, en même temps
elle s'est dit : tais-toi, tais-toi, tu parles trop, c'est
rien ce type pour toi – et tout s'est recroquevillé
d'un coup.)

Flo a éteint sa cigarette sur le boîtier en métal accroché au mur. C'était il y a trois semaines.

— Moi, j'aurais rêvé d'avoir une serpillière comme petite sœur. On va s'entendre, toi et moi.

Clémence est rentrée chez elle, a ouvert le réfrigérateur. Cela sent mauvais à l'intérieur et elle sort la salade qu'elle a laissée pourrir. Il y a des moments comme ça où même éplucher des légumes, c'est trop demander. Des moments où elle ne mange que ce qui est tout prêt dans le frigo : un morceau de fromage, du jambon, un yaourt. Du pain rapporté de la boulangerie. Un café sur la terrasse, les yeux fermés par la fatigue. Dehors, il fait beau, de la beauté du mois de juin, pleine et entière, à terme, solide. Dans le petit jardin immense, les arbres n'ont plus le feuillage vert flamboyant des semaines où les bourgeons éclataient. À présent, ils ont la profondeur des reflets des sous-bois ; l'ombre filtre la chaleur qui s'installe, et Clémence se dit qu'à la campagne, les foins pourront bientôt commencer. C'est tôt, c'est trop tôt. Mais depuis quelques années, les saisons se jouent des calendriers, comme si le monde s'était décalé. Sur les bords du jardin, les roses sont presque fanées. Les hortensias d'un bleu profond, collés au mur de la maison : pleines fleurs depuis une semaine déjà. Au seuil de la petite forêt, là où le soleil passe encore, des bouquets d'herbes de rien, des pétales minuscules en rose et jaune et bleu et blanc. En entrant sous l'ombre des arbres, cela sent la framboise écrasée et les résineux chauds du bord de mer ; sous les pieds de Clémence, l'humus est sec, léger, terreux. On dirait les vacances, pense-t-elle, quand elle suivait, enfant, les chemins dans les pinèdes et dans les dunes avant d'arriver à l'océan, elle tenait la main de sa mère ou de son père, ou les deux à la fois, c'était bien, ce temps-là, c'étaient les mêmes odeurs de pommes de pin, le même courant d'air tiède. Derrière le mur du fond de son jardin, elle repère la silhouette du chêne majestueux dont elle ne connaît que les branches hautes. Un chêne planté sur un autre terrain, plus loin, il y a cent ou cent cinquante ans sans doute, elle devine son feuillage depuis le dessous du sophora, elle a l'impression que la forêt s'étend jusqu'à l'infini. Comme chaque fois, elle vient s'asseoir à côté du bassin. Le jardin est si petit qu'il lui faut trop peu de temps pour le traverser, alors elle retarde, elle fait des cercles, elle s'arrête. Elle regarde. Cela pourrait prendre des heures rien qu'à l'observer, ce fouillis, ce désordre où pourtant chaque plante a sa place, gagnée de haute lutte sans doute, quand tant d'autres ont crevé. Clémence sourit à la luxuriance et au débordement, à la force qui se dégage des troncs, des tiges, des couleurs improbables des hibiscus à demi cachés, des orchidées qui ont dû être rentrées chaque hiver avant elle. Certaines fleurs sont posées en pot sur de vieilles poutres en bois imbriquées telles des étagères. On dirait un jardin soigneusement préparé que quelqu'un a dû quitter en hâte, un jardin prêt pour elle, Clémence, pour qu'elle le trouve avec la petite maison laide. Elle y connaît peu de chose mais elle l'aime, cet éparpillement ce mélange végétal, oui vraiment, la main posée sur la pierre du bassin, elle se sent chez elle, elle sent les battements de son cœur descendre, ses paupières un peu lourdes, elle est – enfin bien. Par ses yeux entrouverts, elle devine plus qu'elle ne voit les ondulations des poissons rouges, points de lumière orange, telles des capucines oubliées sous l'eau, autour d'elle le silence grouille d'insectes et de chants d'oiseaux comme des traits, des ronds, des trilles.

On n'entend plus le coucou. Ce salopard a dû poser ses œufs et partir. Il y a des merles dans le jardin de Clémence, qui font en sautillant sur l'humus le bruit d'un troupeau de cochons. Le chant des merles vaut toutes les pièces de monnaie dans toutes les poches lorsque le coucou s'égosille. En haut des arbres, cela roucoule, cela piaille, cela roule dans les gorges, cela strie l'air d'une force impossible pour des corps si dérisoires. Si un homme chantait avec proportionnellement la même puissance de voix qu'un merle, on ne pourrait pas se tenir à moins de vingt mètres de lui, au risque d'avoir les tympans crevés.

Une petite sœur serpillière.

Après, Flo avait demandé à Clémence si elle avait déjà pris une claque avec une serpillière mouillée.

Cette question.

Elle s'était contentée de hausser les épaules. Il avait ajouté en baissant d'un ton : *Moi oui. Une serpillière mouillée, essorée, serrée à mort, un grand coup sur la tempe. J'ai presque été assommé. C'est pour ça que je peux t'affirmer qu'une serpillière, c'est pas ce que tu crois. C'est pas de la merde.*

Pas ce qu'on croit — enfant, Clémence avait les meilleures notes de sa classe, tout le temps. Lorsqu'elle avait passé les tests, sa mère lui avait expliqué ce qu'était un surdoué (à l'époque, on disait encore un surdoué, ou alors c'était elle qui avait choisi d'utiliser ce mot-là, Clémence avait surtout retenu que c'était loin d'être un cadeau). Du potentiel dans la tête, et des difficultés pour tout le reste. Cela résumait si bien la situation. Première de la classe et pas d'amis. Pas de jeux dans la cour avec les autres, pas de place à la cantine pour se mêler aux bavardages, pas d'invitations aux anniversaires. Toujours seule. Toute petite déjà, pendant la récréation, elle se balançait lentement d'un pied sur l'autre, adossée au mur de la cour, pour passer le temps. Elle faisait mine de réfléchir ; en réalité, elle comptait. Les mille deux cents secondes que durait la récréation. Chaque jour, elle arrivait au point où elle murmurait : plus que mille. Plus que cinq cents. Elle levait un doigt toutes les cent secondes – elle n'avait pas assez de doigts, il fallait recommencer sur le pouce et l'index de la main gauche, parfois elle s'emmêlait. La cloche sonnait. Elle suivait les autres dans les couloirs de l'école, devant elle et derrière elle, cela jacassait et gloussait, au milieu : le silence. Être surdouée, c'était cela.

Alors le jour où sa mère lui a eu expliqué, elle a compris qu'elle devait choisir. C'était être la meilleure toute seule, ou être moyenne avec les autres. Quand on est enfant, on n'a pas toutes les données en main, on ne sait pas encore que tout est composition, ruse, compromis. On n'a pas la force. Clémence a décidé de ne plus être seule. Ses notes se sont effondrées, elle s'est appliquée à faire des erreurs, à mimer des trous de mémoire, à ne pas connaître les réponses, il y a eu quelques amies. Jamais beaucoup. Parce que là aussi, on ne le dit pas aux enfants : c'est la nature. Il y a des gens qui n'ont qu'à ouvrir les bras pour que les autres se précipitent. Et puis il y a ceux pour qui ouvrir les bras est déjà un immense effort, et personne ne s'y trompe – personne ne vient, personne n'accourt. Mais tout de même. Deux ou trois amies, pour se sentir ordinaire. Et plus tard, à la fin du collège : Manon. Voilà, il vaut tellement mieux avoir Manon dans sa vie, sa sœur sa confidente son pilier, qu'être première de la classe sans personne à inviter le jour de son anniversaire ou pendant les vacances. Cela valait la peine d'être devenue un cancre. Cela valait la peine de devenir boulangère. Et d'ailleurs, le temps d'un week-end entre amis, il est beaucoup plus intéressant d'être boulangère que directrice commerciale ou banquière.

Sauf quand il s'agit de Thomas.

Encore Thomas, avec son métier chic et prétentieux qui ne servait qu'à faire de l'argent, Thomas que tout le monde aimait pourtant. Ce genre de garçon à côté duquel elle avait senti immédiatement à quel point elle était terne, morne, mal habillée, mais plus grave : tout cela n'était pas seulement extérieur, c'était dedans, une sorte d'élégance et d'aisance qui lui était inaccessible à elle Clémence, quelque chose qui ne s'apprenait pas. Quelque chose dans le sang. Thomas, ses amis qui lui ressemblaient. Ensemble, ils étaient une force – sociale, économique, crâneuse.

Clémence évitait les soirées entre soi dont ils étaient si friands. Thomas n'avait jamais insisté pour qu'elle l'accompagne, elle avait ses horaires décalés, la boulangerie à quatre heures et demie, la fatigue qui ne pouvait pas s'accumuler indéfiniment. Elle avait mis longtemps à comprendre qu'il préférait aller seul à ces réunions particulières. Au fond, elle n'était pas de son monde. Il retrouvait ses pairs, leurs habitudes, leurs déviances – c'est elle qui disait *déviances*, pour lui c'était normal de boire au point qu'ils espéraient que l'un d'eux serait encore capable de ramener les autres, ou tout au moins de les jeter dans un taxi ; c'était normal de partager une ligne de coke, de gueuler des extravagances au fond des bars snobs et discrets de Paris la nuit, normal de parler trop fort, de prendre une fille à la va-vite dans les toilettes, normal encore d'inviter un inconnu à leur table, de tout lui offrir le temps d'une soirée, avant de l'apostropher pour une raison qui n'en était pas une et de lui casser la tête entre amis, dans la rue, quand les bars ferment et qu'il faut bien rentrer. Clémence avait assisté à quelques-unes de ces étranges réjouissances. Elle avait vu ces pauvres types éberlués, tabassés par les amis d'un soir qu'ils avaient cru gagner alors qu'ils n'étaient ni beaux ni riches, elle avait tourné la tête devant les silhouettes agenouillées sur le bitume, sanglotant et implorant la pitié – d'avoir fait quoi ? Rien, rien du tout. Parce que là aussi, c'était juste un jeu, et pour jouer, il n'y a pas besoin de raison : il suffit d'avoir envie. La passion de Thomas, c'était cela. Détruire. Qu'il n'y ait pas de raison rendait son geste encore plus inexplicable, et qu'il soit inexplicable le rendait absolument libre. Il ne savait pas qui il choisirait de soir en soir pour le porter aux nues avant de l'écraser. Ne savait pas pourquoi. C'était le hasard, et le caprice. C'était le choix de ces petits rois fous qui avaient, clamaient-ils, droit sur tout.

Après, Thomas ivre, Thomas taché du sang d'un autre – parfois du sien, car il aimait que cela cogne, il aimait qu'il y ait du répondant, de la révolte, cela l'exaltait, il gagnait toujours, ils étaient si nombreux derrière lui.

Thomas qui pleurait.

Oui il était mauvais. Il avait cela en lui, ces ténèbres qui revenaient chaque fois, l'alcool et la drogue qui le faisaient autre, *En vrai ce n'est pas moi, je ne suis pas comme ça, tu me crois mon petit chat ? Si tu ne me crois pas, c'est fini pour moi, je ne m'en remettrai pas si tu me quittes. Il n'y a que toi qui puisses m'aider. Aide-moi, je t'en supplie.*

Bla bla bla, soupirait Manon excédée quand Clémence encore en larmes lui racontait, le lendemain.

— Je ne peux pas le laisser, hoquetait Clémence.

— Bien sûr que tu peux.

— Il a besoin de moi.
— Ça oui, il a besoin de toi.
— Je vais le tirer de là. Je vais le sauver.
Bla bla bla, tu sais.

Dans le bassin de Clémence, les nénuphars couvrent la moitié de la surface. Ils ont des petites fleurs jaunes qui ne ressemblent pas du tout aux tableaux de Monet. L'eau arrive au compte-gouttes par un tuyau en grès venu de nulle part, et le trop-plein s'écoule dans une minuscule rigole en béton tapissée de mousse, qui file sous le mur du fond. Derrière le jardin, Clémence sait qu'il y a une rivière, d'où vient et où retourne l'eau du bassin, et elle observe la dérivation qui permet cela – l'existence des nénuphars et de quatre poissons rouges et demi.

Le bassin est sale. Les jours de pluie, l'eau remuée par les averses devient opaque, brune comme une boue diluée. C'est impossible de voir le fond. Même les glissements écarlates des poissons – Clémence ne les aperçoit pas. Elle voulait nettoyer. Enlever le cheni, la terre, les herbes, les lentilles. Mais elle

101

a décidé de ne rien faire. Le bassin est ainsi, peut-être depuis des années. Telles ces maisons humides qu'un propriétaire décide un jour de drainer et dont les façades, soudain, se lézardent de longues fissures : quand on a appris à vivre dans un univers bancal, il est parfois dangereux que l'équilibre revienne.

Lorsque Clémence plonge la main dans l'eau, la saleté ne se remarque pas. Ce qui coule entre ses doigts est fluide, limpide, à peine s'il reste quelques miettes de brindilles ou de feuilles sur sa peau. Elle ne sait pas si c'est elle qui provoque cela, la transparence. Elle ne sait pas si elle est contagieuse. Mais c'est là, sur elle, en elle. Pas la transparence des grands glaciers ou des mers superbes : celle des invisibles. De ceux qui voudraient qu'on les voie, en vain. C'est dérangeant d'y penser, à cette transparence qui a toujours accompagné Clémence. Cela se sent à plein de choses insignifiantes. Cela s'accumule comme les chagrins, l'impression que les autres passent à travers son corps, à travers son regard, et que rien ne les arrête – rien ne justifie qu'ils s'y arrêtent.

Pas exister.

Combien de fois s'est-elle fait prendre son tour dans une file d'attente, Clémence ? Combien de fois la vendeuse s'est adressée à la personne d'après en l'oubliant au passage ? Une fois, cela l'a fait rire.

Une autre, et elle a eu un mouvement d'humeur, perplexe. Et le boulanger ou le boucher qui la font répéter parce qu'elle ne parle pas assez fort, presque une fois sur deux ? Clémence que personne ne voit, personne n'entend – alors, à force hein : la colère.

Cela fait des années que cette colère grandit, silencieuse, sourde au fond du ventre et de la gorge de Clémence. Chaque humiliation minuscule s'agrège aux autres, créant un enchevêtrement de pensées mauvaises, un tas qui croît inexorablement à la façon des décharges au faîte desquelles des grues déversent les unes après les autres des milliers d'immondices et de saloperies. À un moment, peut-être très longtemps, cela finit par déborder. Il y a trop de détritus à entasser ; un jour ou l'autre, ça pète. Pas parce que ce jour-là il y en a trop : mais à cause de l'accumulation. C'est l'histoire de la goutte d'eau. Clémence ne sait pas où est le haut du vase. Elle sait seulement la sensation profonde et haineuse de s'en rapprocher. Tous les faux pas autour d'elle deviennent des moqueries insupportables, la renvoient à cette foutue, cette putain de transparence. Car ce n'est pas un problème de vision de toutes les vendeuses du monde. Elles remarquent le client d'avant et le client d'après. Et le boucher ne fait répéter ni le client d'avant ni celui d'après. Le problème, c'est Clémence. C'est elle qu'on n'entend pas.

Quand elle est sur le quai d'un métro ou d'un train parfois – d'autres qu'elle, qui viennent attendre devant elle. Pas un mètre à gauche ou un mètre à droite, là où il y a de la place, non : juste devant elle. Presque sur ses pieds. Si près qu'elle sent l'odeur de leurs cheveux dans l'air entre elle et eux. Oh la rage.

Elle n'ose rien dire. Rien penser – les pensées sont trop violentes, jetées sur les voies, fracassées à coups de matraque dans les files d'attente.

Juste : si j'étais grande et méchante.

À force, elle guette ces moments dans les magasins où quelqu'un lui passe devant. Elle sait qu'ils vont arriver. Il y a de l'appréhension et toujours la colère, mais jamais elle ne dit – qu'elle était là avant, que cela ne se fait pas, que tu cherches quoi, là, espèce de conne, car c'est de cela qu'elle rêve, pas qu'on arrête de lui marcher dessus : qu'elle ait le cran de se défendre. Tout de suite. Haut, fort, brutalement. Pas ruminer, après, en rentrant chez elle, les phrases qu'elle aurait dû crier au milieu du magasin, les manteaux qu'elle aurait dû tirer pour les faire valdinguer au bout de la file d'attente, et les murmures autour d'elle, elle s'en moquerait qu'on la traite de folle, si seulement on avait peur d'elle. Les visages écrasés contre les vitrines, pommettes ouvertes, nez cassé, le sang, partout. Quelque chose de démesuré, d'absolument excessif, bon Dieu, si seulement.

Comme Thomas.

D'une certaine façon, elle envie sa capacité de violence. Elle, elle a les mains qui tremblent, la poitrine qui tremble, le souffle qui tremble. Elle aimerait dire qu'elle se contient ainsi, en gardant tout à l'intérieur. Elle aimerait dire qu'elle est éduquée, qu'elle se contrôle. La vérité, c'est qu'elle est lâche. La colère la ronge dedans, n'a jamais servi à lancer son poing dans la gueule de quelqu'un qui lui passe devant ou qui la bouscule. Il y a les images dans sa tête, les cris, les blessures et la joie qu'elle prend à cogner, cogner jusqu'à ce que sa respiration coupée l'empêche de continuer, mais –

Juste trembler. Juste pas oser.

Thomas, lui : Thomas y arrivait, cela avait l'air si simple. Plus fort qu'elle, encore une fois. Et elle, quand elle se rebellait : il se mettait à rire. Ou il la regardait droit dans les yeux. Un jour, il l'a fait pleurer simplement à la scruter comme ça, avec ses yeux plus noirs que du charbon. Il y avait quelque chose de si dur, de si mauvais dans le reflet de ses pupilles. Elle peut toujours essayer, elle – comment pourrait-elle faire peur à qui que ce soit, la maigrichonne, avec ses grands yeux bleus timides, avec son effacement du monde ? À elle, il ne reste que cette foutue saloperie de transparence.

Même le voisin ne la voit pas.

Ce putain de voisin de la grande maison d'à côté, qu'elle a découvert depuis des jours derrière la haie de thuyas et qui n'a jamais, jamais levé les yeux sur elle, jamais même tourné la tête, pas dit bonjour, rien.

Parce qu'au bout de la haie, au bout du jardin, il y a un trou. Un trou dans les thuyas. Pas gros. Et pas vraiment un trou. Parler d'une éclaircie serait plus exact. Une branche qui a dû casser un jour et que quelqu'un a coupée, laissant un vide de la taille d'un gros poing, d'une main ouverte. En plein milieu d'un arbre, au fond du jardin.

Par le trou, Clémence regarde.

Derrière la haie, il y a cet homme, le voisin de la maison d'à côté. Chaque jour, il arrose le jardin. Et elle de jour en jour : a pris l'habitude, à pas de loup, d'épier par le trou de la haie quand elle entend le robinet qui s'ouvre. Il n'y a pas d'arrière-pensée, rien de mauvais. C'est une sorte de compagnie. Pendant un instant, Clémence n'est plus seule. Elle contemple les gouttes d'eau qui font un arc-en-ciel sous le soleil. Le trajet de l'homme dans ce jardin bien plus grand mais beaucoup plus vide que le sien : toujours le même. Les rhododendrons d'abord. Puis les massifs où rosiers, buis et quelques fleurs qui ressemblent à des agapanthes se côtoient avec nonchalance. Ensuite, le jeune hêtre, et des herbes charnues qu'elle ne connaît pas. Des pots – des simples ? des aromatiques ? C'est trop loin, elle voit mal. Retour à gauche avec les hortensias adossés au mur en brique, et un arbuste, peut-être un oranger du Mexique.

L'homme arrose avec négligence lui semble-t-il. Pas beaucoup, pas longtemps, pas assez. Mais avec constance. Même quand il pleut, comme hier. Clémence a froncé les sourcils puis les a relevés, un peu étonnée. Elle est retournée se mettre à l'abri en secouant la tête, un léger sourire en coin. Il arrose sous la pluie, se dit-elle.

Elle le regarde depuis des jours, le visage caché par la haie malgré le trou – elle le regarde de loin. De temps en temps, à l'étrange basculement de son corps, elle croit qu'il va tomber et elle se hisse sur la pointe des pieds, tendue vers lui, comme si cela pouvait le rattraper. Elle s'interroge. Il est si maigre. Clémence se sent proche de lui, a aimé d'emblée cette silhouette décharnée, les cheveux noirs et indisciplinés. Elle ne discerne rien d'autre. Le titubement. Un juron marmonné quand il chancelle. C'est tout.

Alors, quand l'homme est dans le jardin, elle fait du bruit à son tour, pour montrer qu'elle est là. Peut-être souhaiterait-elle qu'il la voie. Peut-être pourraient-ils se dire bonjour.

Mais l'homme ne se retourne pas. Il ne lève pas la tête.

Petit pincement. Cela fait du regret.

Clémence range une chaise en raclant le sol, traîne un râteau, tousse.

Lui – il arrose.

Lui – il l'ignore.

Exprès ?

Et la pensée lui revient, comme dans les files d'attente des magasins, comme sur les quais du métro, comme à l'école. Au fond, le problème, ce ne sont pas les autres : c'est elle Clémence.

Sur sa terrasse avec un café – mais combien de cafés boit-elle par jour, Clémence, beaucoup trop, parfois elle sent son estomac qui brûle, elle sent son cœur qui palpite. Elle regarde le jardin. À présent, elle peut y aller presque sans frissonner, presque sans y penser. Le jour hein. La nuit non, la nuit, c'est impossible, n'importe quelle forêt ressemble à la forêt dans laquelle –

La nuit, il lui faudra encore du temps.

Pas grave. L'important, c'est que ça aille mieux. Ça va mieux.

Thomas n'est plus dans sa tête. Il n'est plus en filigrane de chaque pensée, de chaque geste, il n'y a plus sa voix dans la maison, il n'y a plus son regard sur elle, il n'y a plus la tentation terrifiante de revenir à lui malgré tout ce qui s'est passé. Clémence abat ses mains sur la table. Menteuse. *Menteuse!* C'est tout faux, tout cela.

Si on lui avait dit.

Si on avait eu l'honnêteté, le cran de lui dire, merde !

Que partir, ce n'était rien.

C'était après, que le cauchemar commençait. Avant, c'était – déjà l'enfer, croyait-elle, mais en fait : du pipi de chat, à côté de ce qui allait l'attendre. Et de cela, personne ne l'avait prévenue. Et déjà, partir avait été une épouvante.

Il ne faut pas lâcher ça, Clémence, il ne faut pas dire que ce n'était rien. C'était le premier pas, c'était le plus difficile. On ne t'avait pas dit qu'il y en aurait mille autres après, c'est tout. Mais celui-là, tu l'as eu. Tu l'as fait.

Clémence lutte. Les yeux fermés, pour renverser le sort, elle murmure : *J'ai réussi.*

J'ai réussi, putain – en mettant *putain* à la fin, cela marche plus fort.

Je suis partie.

Mieux, et elle ose à peine le prononcer de peur que cela lui porte malheur, mais il faut qu'elle le dise parce que c'est vrai, pour la première fois : *J'ai gagné.* Des frissons partout sur le corps. Bien sûr que c'est illusoire, rien n'est gagné, elle fait comme si. Tant pis si ce n'était qu'une petite manche de rien du tout. Est-ce qu'il ne le lui a pas dit lui-même ?

Tu reviendras.

Elle crie, non ! Debout aussitôt, les bras tendus le long du corps et le corps agité de spasmes incontrôlables. Elle crie, elle entend à peine le téléphone. Il faut quelques secondes pour que son cerveau réalise, qu'elle fasse glisser son doigt sur l'écran où apparaît en flou le nom de Manon, incapable de décider si elle doit prendre l'appel ou non.

Téléphone vert.

— Coucou, c'est Manon.

Vache que c'est dur de répondre. Dur de faire violence à sa voix qui se défausse, d'articuler un seul mot parce qu'il n'y a pas de force pour davantage – Clémence dit, avec ce timbre à bout de souffle : *Salut.*

— Je voulais te prévenir que Thomas te cherche. Il a compris que je t'avais dépannée un moment, il me tourne autour. Hier, il est venu me parler l'air de rien. Il me prend vraiment pour une idiote.

— Tu lui as dit où j'étais ?

— Bien sûr que non. Mais il prétend qu'il veut s'excuser.

— Oui, bien sûr.

— Et qu'il va changer.

— Oui.

— Je lui ai rappelé qu'il l'avait déjà dit, mais... Ça va, toi ?

— Ça va.

— Quand est-ce qu'on pend la crémaillère ?

— Bientôt. Je n'ai pas fini d'installer mon immense deux-pièces. Tu me connais, il me faut du temps.

— Tu nous préviendras ?

— Oui, évidemment.

— Toujours besoin de rien ?

— Non, tout va bien.

— Tout va même très bien ?

— Mais oui.

— Je ne te crois qu'à moitié, hein.

Au bout du fil, Clémence sourit à peine. *Ça va*, répète-t-elle dans un souffle. Elle devine la voix hésitante de Manon qui sait bien que ce n'est pas vrai.

— Tu m'appelles quand tu veux.

— Oui.

— Pierre et moi, on t'embrasse.

— Moi aussi.

Clémence appuie sur la touche rouge, reconnaît les frémissements dans son ventre. Elle s'en veut d'avoir jeté à Manon des petits mots courts, mais la première phrase de la conversation l'a plongée au fond des ténèbres.

Thomas te cherche.

Bien sûr qu'elle n'a pas gagné.

Thomas te cherche.

Pour Clémence, cela signifie très exactement qu'il va la trouver. Comme les autres fois – les deux autres fois où elle l'a déjà quitté et qu'elle a échoué, ces fois qui n'ont pas compté, il a exigé qu'elle oublie. Ces soirs où il l'a attendue au coin de la rue, à côté de la boulangerie. Ces soirs où elle a pensé qu'il allait la traîner dans sa voiture, l'enlever de force, la ramener dans son antre, dans sa vie, dans ses griffes. Chaque fois, elle s'était précipitée dans un café, petit renard surpris qui détale dos à son terrier, surtout, ne pas rentrer chez soi. Ne pas donner l'adresse. Garder son coin secret, si pauvre soit-il.

Et ne pas rester seule avec lui.

Ne pas lui donner la possibilité.

Il s'était assis en face d'elle.

Clémence.

Ne prononce pas mon nom.

Elle n'osait pas le regarder dans les yeux.

Clémence, on était heureux tous les deux. Clémence, il faut que tu reviennes. Je vais changer tu sais – elle savait : deux ou trois jours, parfois une semaine d'une parenthèse magique pour lui faire croire qu'il était redevenu comme avant. Et puis il recommençait. Il recommençait, cela aussi, elle le savait. Alors ses mains à elle, écrasées sur ses oreilles pour ne pas entendre.

Mais elle avait entendu.

Heureux.

Les yeux rougis. Est-ce qu'il se moquait d'elle ?
Va-t'en.

Il avait mis une main sur la sienne et elle l'avait
enlevée – l'impression que cela brûlait.

— Je vais crier si tu restes.

— Clémence.

— Je vais le faire.

— Clémence, on ne peut pas arrêter ça de cette
façon. Il faut que tu m'écoutes.

Ces deux fois où elle avait fini par rentrer avec
lui, après, tête basse, vaincue. Elle était un pri-
sonnier de guerre qu'on emmène dans un camp
et qui pressent qu'il n'en sortira pas, un être qui
sait qu'il va droit dans le mur mais qui ne peut
pas faire autrement, un être en larmes, désespéré
et soulagé, une femme sous contrôle. L'emprise :
il y a l'alcool, la drogue, le pouvoir, l'argent – et il
y a Thomas. Deux tentatives qu'il lui a fait payer
cher, deux essais ratés, comme au saut en hauteur.
C'est ce qu'elle s'était dit la troisième fois : dernière
chance. Après, c'est l'élimination.

Clémence pousse son téléphone au bout de la
table. Elle déteste ses doigts qui tressautent sur le
bois. Elle déteste les sanglots qu'elle ravale.

Thomas la cherche. Il la cherchait hier aussi,
et avant-hier, et tous les autres jours. Cela lui
ronge la tête, à Clémence. Est-ce qu'elle n'a pas

pris l'habitude, sur son vélo, de faire comme s'il l'avait déjà repérée et de rentrer par mille détours et sens interdits afin qu'il ne puisse pas la suivre ? Car il essaiera, elle le sait. Elle change de trajet chaque jour. Depuis qu'elle habite sa petite maison, elle redouble de précaution, pour ne pas trahir son refuge. Il essaiera – Dieu, dans sa tête à elle, il est tellement évident qu'il y arrivera qu'elle a l'impression de sentir son parfum en sortant de la boulangerie, ou au moment d'ouvrir son portillon. Et elle regarde en arrière, elle surveille, la bouche sèche, il n'est pas là, pas encore, cela viendra.

Au fond, tout cela, ce n'est pas nouveau. Clémence en a été consciente depuis l'instant où elle a refermé sur elle la porte du bel appartement : que Thomas ne la laisserait pas s'échapper pour de bon. Que partir, ce n'était pas gagner. Qu'elle partirait et qu'il la pisterait : Thomas est un chasseur. Ce sont juste les mots de Manon qui ravivent la peur. Celle que Clémence essaie d'enfouir – et sûrement ce n'est pas la bonne méthode. Elle aurait dû décamper à l'autre bout du monde, oublier ses rares derniers amis pour couper toutes les traces. Elle aurait dû deviner qu'elle ne pourrait pas se contenter de demi-mesures.

Thomas la cherche.

Si seulement elle était sûre de ne pas vouloir qu'il la trouve. Elle doit presque s'empêcher d'espérer, se rappeler le cauchemar pour secouer la tête en frémissant, les soirées abruties d'insultes et de remarques mauvaises, le chantage, la peur surtout, et le piège des coups de colère et des coups de tendresse – les derniers, elle n'y croyait plus. Pourquoi une part d'elle est prête à y retourner, elle l'ignore, effrayée. Parce que c'est difficile d'être seule ? Il le lui a prédit, ça n'en finit pas de tourner en boucle dans sa tête : *Tu crois vraiment que tu vas retrouver quelqu'un, avec ta dégaine, ta pauvre gueule ?*

Clémence court jusqu'à la salle de bains, s'asperge le visage à l'eau froide. Noyer les pensées, surtout les arrêter, vite. Elle reste plongée dans ses mains en coupe sous le robinet, respiration bloquée, les épaules secouées par des sanglots. Cela passe. Ce n'est pas tout à fait vrai mais elle le murmure à voix basse pour obliger à ce que ça arrive : *Cela passe.* Les battements de son cœur ralentissent peu à peu, elle est rompue de fatigue, s'effondre dans le canapé, les jambes repliées sous elle-même, roulée en boule tel un animal malade. Malgré la chaleur, elle tire le plaid sur sa tête. Glisser dans le noir, ne plus voir le monde, ne plus l'affronter. Sa façon à elle de se sauver. Elle se sent misérable. Elle voudrait dormir et que tout se gomme pendant son sommeil, revenir à un point en arrière, au moment où elle était heureuse. Cela fait longtemps oui.

La première fois que Thomas l'avait laissée dans les bois, elle était habillée. Le reste était venu plus tard. Le reste viendrait quand elle serait incapable de dire non, et bien sûr il y aurait cette hésitation, le nœud immédiat dans le ventre – et aussitôt après, la crainte qu'il se mette en colère, avec elle il était si prompt à cela. Alors elle ravalerait le doute et la peur, elle enlèverait ses vêtements, un à un, presque, au fond de la nuit et au fond de la forêt.

Il venait la réveiller un peu après minuit. Il l'asseyait dans la cuisine, il avait préparé une sorte de casse-croûte. Au début, elle n'avait pas voulu y toucher, elle n'avait pas faim, ne savait que trop ce qui l'attendait. Mais il la surveillait comme on couve ses perdrix d'élevage avant de faire un grand lâcher la veille de la chasse. Il l'obligeait. Pour échapper au conflit, elle mangeait.

Elle avait essayé de lui dire.

Je n'aime pas ces nuits-là. Je n'aime pas là où on va, et ce qui se passe.

Il la berçait, mon amour, mon bel amour.

Il criait – qu'elle ne voulait jamais lui faire plaisir.

Chahutée, ballottée entre les tendresses et les insultes, elle ne comprenait plus. Il n'y avait pas de logique. Il n'y avait pas de temps pour réfléchir, et déjà il reprenait l'alternance terrifiante des caresses et des fureurs, elle secouait la tête, se recroquevillait sous lui, acquiesçait à tout.

Tout : et si peu de chose, car c'était bien le moins qu'elle puisse lui consentir, disait-il. Dans la tristesse des jours ordinaires, la morosité qu'elle apportait entre eux, une toute petite boulangère qui ne gagnait rien, qui n'avait pas d'avenir, pas d'espoir, pas d'amplitude. Il demandait quoi, au fond ? Un peu de folie. Un peu d'étincelles. Vivre ! – et les yeux écarquillés d'effroi, elle finissait par le croire, elle et sa mélancolie, elle et son étriquement et sa routine exaspérante, si elle pouvait lui apporter ces moments de bonheur, mais oui elle s'en remettrait, elle s'en remettait chaque fois.

Ils arrivaient dans la clairière où tout commençait et il s'exclamait : on joue ? Elle, déjà les larmes sur son visage, elle se tournait pour qu'il ne la voie pas, il détestait qu'elle pleure.

Alors, habillée les premières fois, puis dévêtue un peu plus, à la belle saison (l'hiver il lui tendait un

119

grand manteau de fourrure), jusqu'à n'être qu'une silhouette nue, à deux exceptions près : ces culottes en soie blanche qu'il adorait – et la montre. Juste avant de la lâcher dans les bois, il comptait avec elle sur le cadran : il était une heure du matin.

Jusqu'à quatre, murmurait-il, le souffle raccourci par l'émotion.

À son signal, elle se mettait à courir. Le cœur affolé par les trois heures à venir – trois heures d'une fuite éperdue dans la nuit trop noire, trois heures à tenir, car c'était de cela qu'il s'agissait, elle ne devait pas être prise avant quatre heures du matin, c'était cela le jeu, il la laissait partir quinze minutes avant de se lancer derrière elle, elle savait qu'il mentait, il se jetait à sa poursuite bien plus tôt que ça, elle entendait ses pas l'accompagner sur les feuilles du sous-bois.

Et elle courait, Clémence.

Tant d'années à courir. C'est pour cela qu'elle a le souffle de ces gibiers qui détalent pendant des heures, antilopes ou gazelles, pour cela qu'elle court encore le soir dans la ville, parce que rien d'autre ne peut autant anéantir la pensée, rien d'autre n'a cette force de faire le vide dans sa tête – la seule chose qui subsiste, c'est de fuir.

Fuir : elle a même oublié pourquoi. Elle pourrait s'arrêter et décider que le jeu est fini, que cela ne l'amuse plus, ne l'a jamais amusée, elle pourrait revenir à la clairière, enfiler ses vêtements et rentrer à la maison. Mais non, elle ne peut pas. Dans son cerveau retourné par Thomas, arrêter est impossible.

Fuir, c'est sauver sa peau.

S'il la rattrape, elle meurt.

Combien de fois est-elle morte hein.

Il la ressuscite. Il la remonte des ténèbres, la prend dans ses bras, l'enlace. Il la serre contre lui comme s'il avait cru la perdre, tremblant, s'excusant, bredouillant des réconforts, et elle : elle y croit. À cet instant-là, elle est persuadée qu'il l'a sauvée. La peur est si intense qu'elle s'accroche à lui tel un héros, il est quatre heures, qu'importe que ce soit elle ou lui qui ait gagné, c'est toujours lui qui délivre.

Lui, par qui tout arrive.

Comme Clémence la hait, cette forêt pleine des chuintements de la nuit.

Alors dans son nouveau jardin de trois cent cinquante mètres carrés, à pas minuscules, elle se réhabitue. Au début, elle n'y allait que le jour. Et puis elle s'est obligée à regarder l'obscurité depuis l'intérieur de la baie vitrée, protégée par la petite maison refermée autour d'elle comme un cocon. Dehors, c'était peut-être dangereux, mais elle n'était pas dehors. Et pourtant elle avait déjà peur. Comme ces phobiques des araignées qui ne peuvent même pas tenir une photo d'une mygale entre leurs doigts : juste observer la forêt la nuit lui donnait une sueur glacée le long du dos. Quand elle a pu le faire sans que son souffle s'altère, elle a entrouvert la baie. C'est idiot : elle s'est dit que c'était déjà trop, que Thomas pourrait passer la main dedans – et là, il n'y aurait plus d'intérieur et plus d'abri, tout serait dehors, tout serait irrémédiablement attiré vers l'extérieur, tout recommencerait. Elle a refermé la baie en la claquant. Elle n'a plus ouvert pendant plusieurs jours.

Il est long le chemin, pense Clémence en balayant l'espace sombre d'un regard que la panique n'arrive pas tout à fait à quitter. Une si petite forêt.

Il lui faut encore trois semaines pour oser sortir la nuit au seuil du jardin. D'abord, elle s'est assise sur la terrasse, elle a attendu, a reconnu les bruits si différents de ceux de la journée, pas les mêmes insectes, pas les mêmes oiseaux. Le vent aussi est autre. Elle prend son élan. Ce n'est plus le petit bois magique de sa maison qu'elle voit devant elle : c'est celui de là-bas. Les branches qu'elle prenait en pleine figure dans sa fuite, la retenant par les cheveux et lui griffant la peau. Les sentes qu'elle créait dans sa course, incapable de trouver les vrais chemins dans la forêt qu'elle ne connaissait que de nuit, et elle n'avait jamais réussi à se repérer, passé le tour de la clairière – elle était perdue. La terreur que Thomas surgisse de derrière un arbre du fond d'un buisson par-delà une colline, et il aurait gagné. Car ce n'est pas vrai que cela n'avait pas d'importance. S'il gagnait – il y avait la punition. Clémence, avec ses yeux fouaillant l'obscurité pour deviner le moindre mouvement, la moindre silhouette. Parfois elle débusquait une chouette ou un renard, aussi effrayés qu'elle, mais non, ce n'était pas Thomas, elle repartait, le souffle bientôt saturé de peur et d'effort, se heurtait aux murs d'enceinte, faisait demi-tour en gémissant. Elle regardait la montre à son poignet. Trois heures : une éternité.

Au retour, Thomas soignait ses blessures et lui souriait de l'autre côté de la bouteille de Bétadine.

Voilà, il disait.

Voilà. C'était tout.

Alors Clémence devant sa nouvelle forêt, un soir. Elle sait sa petitesse, mais qu'importe : l'angoisse est là, c'est la même. Clémence scrute le jardin obscur, repère les premiers arbustes, suit mentalement le sentier qui sinue jusqu'au fond, tout près, voilà. Sur la terrasse, ce sas entre la maison et la forêt, elle respire profondément, s'encourage. *On y va.* Elle accroche une corde à la poignée de la baie vitrée, qu'elle relie à sa ceinture. Elle n'a trouvé que cela pour oser y aller. Si elle s'affole, elle pourra la remonter sans peine. Elle n'est pas perdue. Ne le sera plus, plus jamais. Elle a cinquante mètres devant elle. Cinquante mètres qu'elle déroule avec lenteur, la sueur coulant sur son front, collant sa chemise à son dos glacé. La nuit avale ses repères. Elle devine les charmes, le lilas fané, le bassin des poissons rouges. Cinquante mètres, c'est plus que le bout du jardin : elle s'arrête avant d'avoir tendu la corde.

Là, murmure-t-elle. *J'y suis. Je suis au fond.*

De la main, elle touche le mur. Elle tire sur la corde aussi, pour la mettre en tension – une idée stupide et effrayante : et si elle avait été coupée ? Pendant plusieurs coudées, elle sent son cœur qui bat, son cerveau qui anticipe, terrifié, que le filin ne se tendra jamais, puisqu'il a été tranché. Et elle, qui n'aurait pas entendu ; mais elle n'a jamais entendu Thomas se tapir juste derrière elle à l'ombre des grands arbres de la forêt. Et puis soudain la corde résiste. Clémence donne un ou deux coups secs, pour être sûre. Là-bas, cela tient. Par-dessus la sueur de son front, elle pose une main glacée, elle sent son sourire dévasté. *Oui*, elle dit. *Oui, oui.* Même si l'effroi est revenu. Dans un geste réflexe, elle regarde sa montre. Aussitôt, elle chancelle. Il est vingt-trois heures. Allez, s'encourage-t-elle avec ce cœur en suspens. Vingt-trois heures, cela n'existe pas. Jamais Thomas ne l'a emmenée à vingt-trois heures. C'est trop tôt. C'est à peine la nuit. Enroulant la corde autour de son bras, Clémence rebrousse chemin.

Elle voulait s'asseoir, toucher l'écorce du sophora, chercher le reflet des poissons dans le bassin, mais – demain. Pour ce soir, c'est assez, elle le sent. Au fond de son jardin, elle sent la panique qui vient.

C'est difficile de faire demi-tour. À l'aller, le danger était devant elle ; à présent, il est derrière. Embusqué. Dissimulé. Poursuivant. Elle imagine qu'elle a des yeux à l'arrière de la tête, des yeux pour surveiller partout. En vrai, il fait trop noir. Il fait trop peur. Et soudain il y a le bruit.

Le bruit des pas.

Sur les feuilles, elle ne peut pas se tromper, pas confondre. Quelque chose la suit. Quelque chose marche en parallèle d'elle, caché dans l'obscurité. Si c'était le jour, elle imaginerait que c'est un merle, mais c'est la nuit et la nuit, les merles dorment. Autre chose, alors. Et c'est là que tout s'emballe. C'est là qu'elle perd le contrôle, que l'image immense et noire se forme dans son dos, elle pousse un cri, se met à courir d'un coup. Comme une dingue. Vite. Plus vite, parce que cela court autour d'elle, cela se rapproche, elle l'entend, elle voudrait boucher ses oreilles, boucher ses yeux. Elle n'enroule plus la corde qui la suit en traînant par terre, dansant contre ses jambes, elle zigzague sur le sentier qui fait des boucles dans la fausse jungle. Cours ! En quelques secondes, elle s'engouffre par la baie vitrée, défait sa ceinture qu'elle jette dehors emmêlée à la corde, verrouille la porte sur elle.

Pliée en deux pour calmer les palpitations, les vrombissements dans son crâne. Cela tremble de partout. Pauvre folle. Elle suffoque. Recule jusqu'au fond de la pièce en éteignant la lumière pour qu'on ne la voie pas de l'extérieur. Peu à peu, ses yeux s'habituent aux ténèbres, osent revenir à la silhouette des arbres et des plantes. Au bord des herbes, deux yeux qui brillent. Si bas que cela ne peut être qu'une toute petite chose. Un tout petit chat, qui s'avance soudain à découvert. Putain, dit Clémence. Elle rit en s'étranglant et en tapant du poing contre le mur. *Putain.*

Elle voudrait gueuler, Clémence, quand elle voit le voisin de l'autre côté de la haie le lendemain en rentrant du travail. Elle voudrait ouvrir les bras sur la forêt, lui montrer, crier qu'elle l'a fait. Elle y est allée, en pleine nuit, elle a réussi. Pas courageuse, pas sereine mais – bon sang, elle l'a fait !

Elle hurle : *T'entends ? J'y suis allée !*

Il n'y a personne dans le grand jardin fleuri, et Clémence n'a pas crié. Cela ressemble à un murmure, un grondement. C'est plein de force et plein de hargne, mais c'est tout bas. Alors elle retourne sur sa terrasse, elle balaie, elle enlève quelques herbes. Au seuil de la petite forêt, elle inspire profondément, les yeux fermés. Oui elle arrive à fermer les yeux sans crever de trouille juste à se demander ce qui va en sortir et l'attraper et la dévorer. En fin de compte, elle avait raison : ça va mieux.

Toujours ce regard en biais vers la haie sur le côté. Elle voudrait que le voisin témoigne. Ce matin à cinq heures, devant le four, elle a dit à Flo qu'elle était allée au fond du jardin. Mais ce n'est pas pareil : Flo ne sait pas à quoi ressemble sa forêt. Le voisin, lui. Le voisin l'a sous les yeux. Elle lui expliquera en quelques mots. *J'ai peur de la nuit et j'ai peur des bois.*

Mais je l'ai fait.

C'est peut-être plus facile de le dire à un inconnu. Quelqu'un qui ne sait rien d'elle et qui ne la jugera pas, même si pour la première fois ce matin, elle s'est sentie fière d'être une petite serpillière, quand Flo a posé une main sur son bras en murmurant qu'elle était en train de grandir. Et même si le contact l'a gênée, Clémence, elle qui ne veut pas qu'on la touche, pas qu'on la serre − même si elle a perçu le hérissement de sa peau, elle a souri, oui vraiment, il y a eu cette toute petite étincelle d'orgueil. Devant elle, Flo a fait rouler ses biceps et puis il a tapoté sa tempe à elle du bout de son doigt. *Tu vois, tu as les mêmes. Mais là.* En rentrant, Clémence a acheté des croquettes pour chaton, qu'elle a déposées dans une soucoupe en bordure de terrasse.

Cela fait des jours que Clémence guette le voisin. Elle a essayé de s'empêcher mais elle ne se connaît que trop : obsessionnelle. Maniaque. Obnubilée, possédée, harcelante. Quelque chose naît dedans sa tête et n'en sort plus, jusqu'à ce que ce soit réglé. Quelque chose qui peut être infime, et prendre des proportions absurdes. Le voisin qui ne la voit pas est devenu le sujet de toutes ses attentions, toutes ses divagations. Quand il la remarquera – alors cela s'arrêtera. D'ici là, cela la rend malade de ne pas savoir pourquoi il l'ignore, c'est comme les gens dans les files d'attente : il passe devant elle et elle n'ose rien dire. Cela monte en elle, en silence. Tout son corps hurle parfois : *Allez, regarde-moi.* Tout son corps tressaille de fureur et de déception lorsque le voisin rentre chez lui sans l'avoir devinée une fois de plus. Et pourtant, il est là.

Pourtant, il ouvre la baie vitrée, il ouvre le robinet. Chaque jour. Sous les rayons du soleil, l'eau jaillit en des milliers de particules dorées, dessine un parapluie en pointillé ; sous la pluie, elle se jette et se mélange, grise et joyeuse. Clémence ne sait pas pourquoi l'homme arrose aussi lorsqu'il pleut – ça la rend dingue. Il ne porte pas de chapeau. Certains jours, il rentre chez lui trempé, les cheveux aplatis par les averses successives. Clémence se contorsionne pour l'observer jusqu'au dernier moment, jusqu'à ce qu'il s'efface tout à fait de son champ de vision. Il referme la baie vitrée derrière lui, rentre dans la grande maison à étage bien entretenue, bien blanche, bien propre. Rien à voir avec la cahute de Clémence, non plus que de l'autre côté, où une villa similaire tourne le dos à son jardin et lui fait de l'ombre entre dix heures et midi chaque jour. Sa toute petite maison se tient au milieu des géantes, recroquevillée et hésitante.

Le week-end, souvent, le voisin s'assied dans le jardin avec deux grandes filles, déjà adultes pense Clémence, ses filles à lui, mais elle ne sait pas, n'est pas sûre, les entend peu, ils parlent bas et elle s'en réjouit, et cela l'irrite en même temps, comme s'ils voulaient lui cacher quelque chose ou la laisser de côté. Dans le jardin du voisin, il n'y a que ces deux filles. Pas de femme, personne d'autre, pas d'amis, pas de jardinier. Parfois un rire traverse la haie. Le bruit d'assiettes que l'on empile, de couverts ramassés. Seule sur sa petite terrasse, Clémence écoute la vie des gens heureux, n'en perçoit que quelques murmures, le début d'une chanson, le baiser des filles quand elles s'en vont. Le reste, elle invente. Elle préfère la semaine, quand le voisin est à elle.

Un vieil homme, devine-t-elle. Presque : un homme qui se tient comme un vieil homme, qui ferait croire. Si les filles ont — quel âge ont-elles, ces filles-là, vingt-cinq ou trente ans, alors lui. Au fond, elle ne connaît rien de l'homme qui arrose, pas même les traits de son visage, elle ne connaît pas son âge, ni son prénom, que personne ne

prononce dans le jardin d'à côté. Elle s'en passe.
Ce qu'elle aime, c'est sa maigreur. Elle a décidé
qu'ils se ressemblaient, elle et lui. Elle voudrait
lui parler. Elle voudrait le voir, le toucher – sentir ses os à travers la peau fine, deviner le sillon
des veines et des tendons sur les bras, l'artère sail-
lante dans le cou, comme elle, voilà, ils sont là tels
des jumeaux qui s'ignorent, séparés par une haie
d'arbres trouée et infranchissable. Mais elle a beau
attendre, il ne se passe rien. Elle a beau se pencher,
coincée dans la haie pour s'approcher, et changer
de position, et froncer les sourcils pour mieux voir,
et préparer les mots qu'elle pourrait lui adresser,
il n'y a pas de mots, pas de regard, il n'y a rien.
Parfois, elle rit toute seule : on dirait ces commères
qui épient toute la journée derrière leurs rideaux
et notent ce qu'ont fait les voisins, à quelle heure,
avec qui. Cela ne dure pas longtemps, le rire. C'est
jaune, c'est triste, c'est rage. Clémence se frappe la
poitrine. *Regarde-moi.*

Elle rentre chez elle, secoue ses cheveux où se
sont prises des brindilles, une minuscule araignée.
Elle remet le son sur son téléphone en songeant à
sa nouvelle défaite.

Jusqu'à ce jour où le voisin vient s'agenouiller
à côté des conifères, taillant une ou deux branches
qui dépassent. Clémence recule d'un coup, décon-
certée par les profonds sillons qui labourent son

visage. Un homme aux traits creusés comme un vieillard et qui pourtant, et qui malgré les rides, avec ses pommettes hautes, ses yeux brillants, ses cheveux bruns presque noirs en désordre – un curieux mélange d'âges, il est vieux et il n'est pas vieux, le mot la traverse : intemporel. Elle ne sait plus qui il est, ce qu'il est, ce n'est pas ça, être vieux, bien que, mais ce regard intense, cette beauté morte et saisissante qu'elle a devinée, fugitive, en le découvrant un genou à terre juste devant elle. Clémence se tient là, bouche ouverte. Silencieuse. Une vision. Elle n'ose pas.

Il ne remarque pas ses chaussures à elle, de l'autre côté des thuyas.

Elle a des lacets rouges.

Au bout d'un moment qui lui paraît infiniment long, Clémence bouge le pied pour reculer. N'importe qui devinerait le mouvement. N'importe qui verrait les petits lacets rouges se déplacer vers le côté et vers l'arrière, malgré les branches, malgré les thuyas. Il ne voit pas. Elle le déteste. Lui, son indifférence. Elle voudrait crier, pour l'obliger à réagir. Pour lui faire peur. Elle voudrait que cesse la transparence.

Et comme toujours : elle ne bouge pas.

Elle ne dit rien.

Le jour d'après, ils sont là tous les deux encore une fois, chacun de son côté de la haie. Lui, il arrose ; elle fait du bruit pour attirer son attention. Il ne regarde pas.

Clémence a les larmes aux yeux. Alors, ce serait vrai, ce que disait l'autre salaud. Qu'elle n'existait pas. Qu'elle était invisible – quand elle était môme, c'était son rêve, d'être l'homme invisible ; si elle avait su quelle torture cela signifiait.

Invisible. Disparue.

Merde, murmure-t-elle avec la voix qui déraille. *Merde, merde.*

Elle tend ses mains devant elle pour vérifier qu'elles sont là, qu'elle est bien là, elle.

Elle est là.

Ça tremble, c'est tout.

Elle court au bout de la haie, regarde par le trou. L'homme arrête d'arroser et enroule le tuyau. Elle pourrait être absente, ou morte, ce serait pareil. Avec ou sans lacets rouges, avec ou sans bruit. C'est si peu de chose ; mais de tant d'importance.

Lui, il rentre dans la grande maison. Clémence entend le glissement de la baie vitrée, le cliquetis du verrouillage. C'est fini. Aujourd'hui est terminé. Aujourd'hui est à nouveau vide.

Cours. Dans l'obscurité qui tombe sur la ville, Clémence s'est élancée. La course, c'est son exutoire. C'est aussi sa fragilité : sans elle, elle tournerait en rond comme ces bêtes en cage qui finissent par se jeter tête en avant sur les barreaux en fer – qui finissent par ronger leurs membres un à un, comme si cela leur permettait de passer leur corps morceau par morceau de l'autre côté de la prison, car s'ils ne comprennent rien aux raisons qui les ont amenés là, ils savent une chose, instinctivement : de l'autre côté, il y a la liberté. Peu importe qu'elle soit à vif, qu'elle soit à sang, peu importe même son prix, la mutilation ou la mort, ce n'est pas cher payé pour courir à nouveau dans les espaces infinis. Qui sait, peut-être qu'un dieu désœuvré pourrait recoller les membres arrachés, après. Il faut croire à la magie.

Clémence court, regarde sa montre. Elle va trop vite. Sa respiration ne tiendra pas. Pourtant elle n'arrive pas à ralentir. Elle veut traverser la ville, tout de suite, dépasser le panneau avec un autre nom, trouver la rue. Et ce serait bien mieux qu'elle s'arrête, le souffle coupé ; mais dans sa détresse, elle ne réfléchit plus. Son instinct l'emmène (est-ce que ce n'est pas son instinct qui l'a poussée aussi dans les bras de Thomas ? est-ce qu'il ne vaudrait pas mieux se méfier de ces élans qui ne sont que de dangereux coups de tête ?). À cet instant, seule la colère l'emporte. Tant pis pour la raison, pour la logique, pour l'apaisement qui se refuse. Elle court et elle ne pense qu'à une chose : l'immeuble où habite Thomas.

Treize kilomètres, une heure. Et retour.

Pour se prouver qu'elle peut longer ses fenêtres et lui échapper encore une fois ? Lui échapper toujours. Ou pas.

Il y a une crainte mêlée d'excitation à ce qu'il la voie, à ce qu'il la poursuive. Elle entend le rugissement d'ici, se met à rire entre deux battements de cœur. Une sensation terrifiante de provocation et de fuite. Est-ce qu'elle a déjà vu un cerf ou un lièvre revenir sur le lieu où se tiennent les chasseurs, Clémence, est-ce qu'elle a déjà vu un gibier retourner sur ses pas, même pas peur, même pas mal ? Non, il faut être humain pour commettre une si grande erreur. Il faut quelque chose de malade au fond de soi.

Cours, cela brûle, elle a l'habitude. La concentration sur son visage, les traits marqués, serrés, les gens qui la croisent ne rient pas, ne disent rien. Peut-être se retournent-ils sur elle, sur cette silhouette trop maigre qui va trop vite – elle ne sait pas. Elle n'y pense pas. Seul l'horizon compte, infini, et la dureté du macadam sous ses pieds. Après une grande journée d'été, la nuit sent le bitume chaud, cela la gêne pour respirer, l'impression d'aspirer un air trop tiède, la sensation thermique à l'intérieur, étouffante, cours, bon sang de merde, cours tout droit, crève mais cours.

Arrête de penser. Penser, cela tue. Penser –

Que Thomas lui manque.

Clémence pousse un cri, titube comme si elle avait cogné un obstacle, se rattrape – cours. Mais les yeux écarquillés, foudroyés par les mots, elle ne veut pas de ces mots-là, la raison lui échappe, au rythme des foulées sa voix rauque, *Non, non, non.* Pas Thomas. Pas manquer. Et pourtant. Levant les yeux sur les panneaux, elle reconnaît les noms des rues. Elle sait qu'elle se rapproche. Elle file vers lui, elle n'a plus la maîtrise, elle est un corps de fer qu'un aimant surpuissant attire contre sa volonté. Depuis son départ elle a la certitude que Thomas la retrouvera. Mais c'est très différent de courir vers lui, car cette fois c'est elle, juste elle, qui retourne. Thomas n'y est pour rien.

Clémence court voir Thomas.

Soudain, cela n'a plus d'importance. Il peut la gronder, il peut l'humilier, l'exhiber comme sa petite chose ou la cacher parce qu'elle lui fait honte, il peut l'emmener au fond de la forêt, il peut, oui, tout le reste. Pourvu qu'elle existe. Elle ne s'est jamais sentie aussi ardente que lorsqu'il faisait d'elle ce qu'il voulait. Elle le répète dans sa tête, tant qu'on souffre, c'est qu'on n'est pas mort. Aujourd'hui, elle est anesthésiée. Pas mal, pas peur : juste le vide. Le rien du tout. Au fond, c'est pire que tout. Thomas, lui : Thomas la rendait vivante.

Clémence hallucinée, le regard sur les étoiles à peine visibles.

En vrai, tu t'en souviens, de cette vie-là ? Tu t'en souviens, du troisième et dernier essai ?

Oh Dieu.

Elle se rappelle le sourire de sa mère quand elle la prenait dans ses bras, avant Thomas. Sur les lèvres de Thomas il n'y a jamais eu ce sourire, il n'y a jamais eu cette douceur. Tu sais, des lèvres fines qui ressemblent à des coupures de couteau. Quand on a deux lames de rasoir sur la gueule, tu crois qu'on peut être humain ? Des lèvres qui font penser à des barres d'acier. *Bam.* Même dans ses baisers, Thomas – il y a de la violence.

C'est vers cela que tu cours ?

137

Oh Dieu.

Clémence s'arrête d'un coup, appuyée à un réverbère, les jambes en coton. Il ne faut pas s'arrêter d'un coup, ça secoue trop fort, comme les médicaments ou l'héroïne, le corps proteste, déraille, ça tremble de partout, pas un peu hein, des tremblements que même en se tenant les poignets elle n'arrive pas à calmer, Clémence. Ou peut-être cette fulgurance, cet éclair de lucidité au milieu d'une confusion totale, bon sang, pense-t-elle, qu'est-ce que je fais – mais cours, cours !

Et soudain elle fait demi-tour, flageolante, il y a quelques pas sur le fil, qui pourraient tomber. Non : elle tient bon, elle lève ses jambes de coton et de plomb, un essai, deux essais, au troisième elle repart. Comme une folle. Comme si elle venait d'échapper à Thomas, à deux doigts de l'abîme, de la catastrophe.

Mais t'as fait quoi ? T'as fait quoi, là ?

Elle détale, elle cavale, elle rêve de ces rêves où elle court en volant presque, des enjambées géantes, sensation exaltante d'une fuite que personne ne peut entraver, sans fatigue ni essoufflement, infinie, et cela oui c'est un rêve, la réalité est tout autre : sa respiration saccadée, la brûlure dans la poitrine, dans le ventre, dans le dos, le rythme est cassé. Elle sent, physiquement, viscéralement la peur.

Continuer. Cela fait des étourdissements dans sa tête. Elle remonte les rues, elle remonte la ville. Sa vision se brouille, ce pourrait être les larmes.

Pas de larmes.

Elle retourne sur ses pas tel un chien retrouvant la trace de ses maîtres, de façon instinctive, mécanique, un ailleurs qui s'est enclenché dans son cerveau. La seule chose consciente est le bruit anormal de son souffle qui s'affole au creux de ses oreilles, cela bat trop fort, elle sent la violence des coups dans son crâne.

Cours.

Le dernier kilomètre, elle le fait au pas. Peut plus. Ses mains s'agrippent de grille en grille, de clôture en arbuste. Sans eux, elle s'effondre. Avance. Enfin, elle ouvre le portail de la petite maison et s'appuie contre le muret, pliée en deux par sa respiration enfuie. Elle sait qu'il faudrait marcher pour calmer le chaos dans son cœur, mais elle n'y arrive pas. Une main serrée sur le bord du mur pour empêcher les sursauts de son corps, elle absorbe l'air. Elle est comme un fantôme, d'une pâleur que la lueur du réverbère près d'elle rend translucide, prête à se dissoudre dans l'atmosphère.

Calme, calme.

Troisième essai, bon sang. Après, tout explose.

Elle pleure en silence.

Et soudain, Gabriel.

Dans le contre-jour de la lumière artificielle, malgré les ombres qui cachent son visage, Clémence le reconnaît aussitôt. Elle refrène un mouvement de recul. Un surgissement dans la nuit est toujours une menace – elle se voit tremblante, à bout de souffle, incapable de reprendre une course s'il fallait se sauver à nouveau. Elle se voit telle qu'elle est : tétanisée par l'effort trop violent qu'elle a consenti, figée par les battements de son cœur qui lui interdisent jusqu'au geste de la main qu'elle pourrait faire pour se protéger, mais elle n'a pas besoin de se protéger.

Il s'est approché d'elle.

Sa maigreur, ses cheveux en désordre, ses longues mains sur le muret en béton, près de celles de Clémence. Elle : le regarde sans qu'aucun son ne sorte de sa gorge.

Le voisin. Le salaud qui ne la remarque jamais. Le voilà.

Le mystère, la distance, évanouis en un instant, même s'il faut essuyer trop vite les larmes, cacher les tremblements de la voix qui refuse de parler, juste les regards l'un sur l'autre, l'un dans l'autre, stupéfaits. La main de l'homme sur son épaule à elle soudain, à peine, comme on touche un animal blessé auquel on a peur de faire plus mal encore, le murmure de Clémence dans l'air, qui s'écarte, qui s'oblige à sourire, s'oblige à articuler trois mots quatre mots volés à sa respiration qui ne se calme pas.

Alors c'est vous.

Et Gabriel dit son nom, et il dit aussi, dit pareil : *Alors c'est vous.*

Ils sont là dans la nuit, elle, des crampes dans le ventre qui la recroquevillent toujours, avec les sanglots qu'elle essaie de contenir, l'épouvante, mal au crâne – lui penché vers elle.

Il fumait dehors, devant sa porte. *C'est incroyable que je vous aie entendue. Je suis un vieil homme très sourd.*

— C'est vrai ?

— Pardon ?

Il a souri. Cette fois c'était pour plaisanter mais – oui Gabriel entend mal, depuis l'enfance. Une maladie qui a laissé des séquelles à ses oreilles :

mauvaise ouïe, mauvais équilibre. C'était il y a longtemps. Quand il se redresse, il cherche la grille pour prendre appui, ne pas vaciller. Clémence ne le quitte pas des yeux.

— Alors, murmure-t-elle, alors c'est pour cela que vous ne m'avez jamais parlé ?

— Parlé ?

— Dans le jardin, quand vous arrosez.

— Vous étiez là ?

— Presque chaque fois.

Il secoue la tête avec douceur. *Je ne vous ai pas vue. Je ne vous ai pas entendue.* Et elle, bouche ouverte, saisie, qui en pleurerait d'avoir enfin l'explication, enfin le soulagement, ce n'est pas elle, elle n'est pas invisible :

— C'est pour ça...

Gabriel sourit. Il ne sait pas quoi répondre à la petite repliée contre le muret, il voudrait lui dire de se tenir droite, comme si un fil la reliait au ciel, lui dire que ce n'est pas normal d'être voûtée ainsi dans la nuit noire, que cela l'inquiète ; il devine qu'il ne faut pas demander, il allume une cigarette – l'autre, il l'a laissée tomber sur le trottoir en se précipitant pour venir. Il sent que la gamine n'a rien, rien au corps, rien que cet effroi collé à la rétine et cette position harassée, répandue, les épaules qui tressautent encore. Un peu de temps passe. Il regarde les réverbères dans la rue, souffle la fumée devant lui, épiant en biais la silhouette qui ne se décide pas à bouger, l'essoufflement qui s'estompe peu à peu.

Est-ce que ça va ?

Clémence a un geste d'acquiescement. C'est fou comme elle attire cette question-là, et elle peut toujours essayer de faire croire que oui – ça va. Personne ne la croit. Pas son ancienne patronne, pas Manon, pas Flo.

Pas le voisin.

Il ne dit rien cependant : il tend la main vers elle. Il ne l'oblige pas. Clémence peut prendre cette main ou la laisser tendue dans le vide jusqu'à ce qu'elle s'abaisse d'elle-même. Mais Gabriel fait une offre. On verra bien. Et parce que c'est la seule chose possible à cet instant, parce qu'il est une bouée de sauvetage, un rocher auquel Clémence s'accroche soudain, le regard levé sur le sien – elle pose son front contre cette main, rendant les armes, à l'extrême limite d'un épuisement qui n'est pas celui de la course. Gabriel, lui : Gabriel chancelle. Il murmure des mots pour elle. Il a des yeux qui vont fouiller au fond de l'âme. Il a une voix si grave qu'elle semble monter des entrailles de la terre, une vibration du ciel et le ciel est noir et bleu et or, et Clémence écoute la voix, absorbe la chaleur de la main, l'apaisement, tout doucement, une vague reflue au-dedans d'elle. Peu à peu, Gabriel recule, enlève sa main. Elle ne le retient pas.

Je dois partir maintenant.

Le silence entre eux, quand les bruits autour n'ont plus d'existence, feutrés, étouffés, Clémence a mis sa tête entre ses bras. Gabriel n'est pas sûr :

Est-ce que je peux vous laisser ?

Un chuchotement. Le *Oui* qui s'échappe. Il promet :

Je regarderai par le jardin, maintenant.

Elle sourit.

Demain.

Longtemps après, quand l'air s'est refermé sur le passage de Gabriel, Clémence quitte l'appui du muret, les jambes encore douloureuses. Elle frotte ses vêtements, passe une main dans ses cheveux. De l'autre côté de la cour, de l'autre côté du mur, chez le voisin, la lumière est allumée sur le perron. Cela fait une veilleuse, cela fait un petit soleil au milieu de la nuit.

Comme il tangue, Gabriel. Dans le bureau blanc où il s'est réfugié, sa longue silhouette cherche le fauteuil, la chaise, un coin de table où s'accrocher. Les bras tendus tel un grand oiseau à moitié mort, il palpe, devine le canapé, s'écroule. La tête qui roule en arrière sans qu'il la retienne, les yeux fermés. Et puis il les rouvre, à cause de la nausée. Le roulis :

l'émotion lui fait toujours ça, ça et la douleur dans la poitrine. Le poing serré sur le cœur, il essaie de respirer. Il fait un effort colossal pour que le flou s'atténue dans son regard, et que les murs en face de lui redeviennent des étagères où courent des milliers de livres.

Il attend. Il s'endort parfois, se réveille par à-coups, perd la notion du temps. Il réécoute ses propres mots, qui résonnent en cognant dedans sa tête. *Je dois partir maintenant.* Si elle avait demandé pourquoi, la petite voisine, à onze heures ou minuit ? Partir où ? Ce mensonge.

Gabriel est une éponge. Quand il a vu la gamine arriver de la rue en chancelant, quand il l'a devinée à demi écroulée dans sa cour minuscule, il a senti que quelque chose clochait. Quelque chose dans l'air, de plus en plus fort à mesure qu'il s'est approché d'elle, inquiet, peut-être faisait-elle un malaise, mais c'était à la fois moins et plus que cela, il l'a compris au premier regard qu'ils ont échangé. La détresse : c'était cela, dans ses yeux.

La détresse – l'épouvante de Gabriel.

On va manquer de baguettes tradi, chauffe !

Clémence ouvre la chambre de pousse, sort les pâtes. C'est parti. Aujourd'hui, il y a eu du monde. C'est drôle comme ils n'arrivent pas à trouver de régularités, pas d'explications au passage des clients. Avant, on disait que certains jours de la semaine étaient plus chargés, certains horaires aussi. Parfois c'est vrai ; parfois il n'y a plus de règles. Impossible de prévoir, de planifier des quantités de pain ou la présence des uns et des autres.

Un jeudi matin, pas férié, pas veille de congé, rien. Depuis l'ouverture, cela défile. Il est dix heures quarante et le flux se tarit enfin. Clémence sourit à Flo : ils découpent, ils mettent en forme, ils enfournent, et ce sera la pause. À la caisse, Cathie et Samira ont recommencé à parler des prochaines vacances tout en nettoyant les présentoirs à demi vides. À cette heure-là, il ne reste que les retardataires et les petits vieux à venir. Tranquille. Avec un peu de chance, l'heure du déjeuner sera calme, cela non plus personne ne se l'explique : cette sorte d'équilibre qui s'établit souvent dans la journée – une grosse matinée, puis un milieu ou une fin de journée creux, et inversement.

Tu as bouclé les sandwiches ?

Rémi apporte les plateaux, répartit les casse-croûtes dans les vitrines réfrigérées. *Ça roule, poulette*, s'amuse-t-il en bousculant Cathie. En fait, il est gentil, Rémi. Il a besoin d'un peu de temps pour connaître les gens, c'est tout. Un peu de silence et d'observation, un peu de réserve aussi, c'est sa nature, comment Clémence pourrait lui en vouloir ? Elle se dit qu'elle a de la chance, elle est toujours sur le qui-vive mais une petite place se dessine pour elle ici, un peu à côté des autres, tout doucement.

— Voilà, murmure Samira en replaçant quelques sandwiches bien droit et en s'étirant.

Une fille aux allures d'étudiante entre et demande un pain au chocolat en piétinant sur place, histoire que Cathie voie qu'elle est pressée. Aussitôt servie, elle sort en courant. Il y en a plein des comme ça, qui ont besoin de montrer que leur agenda est tendu. Derrière elle, c'est madame Porte, la vieille dame au manteau turquoise, un sac passé autour de son bras. À la caisse, elle sort des sachets remplis de chocolats, qu'elle pose sur le comptoir. Cathie la regarde avec de grands yeux.

— C'est mon anniversaire, dit la vieille dame. C'est pour vous.

Samira s'approche. Clémence s'est avancée près de la vitre pour écouter, Flo est accoudé dans l'ouverture entre les deux pièces, faisant obstacle, cela ne fait rien, Clémence aime être en retrait, invisible et muette, oreille tendue.

— C'est votre anniversaire et c'est vous qui offrez les cadeaux ? sourit Samira.

La vieille dame hausse les épaules. Il n'y a plus personne pour lui souhaiter quoi que ce soit autour d'elle. Elle est toute seule. Elle s'est dit qu'elle allait préparer des petits paquets, pour ne pas oublier la date.

— C'est trop gentil, murmure Samira. Cela nous gêne, vous savez.

Mais il ne faut pas. C'est à la vieille dame que cela fait plaisir, d'être venue à cette heure tranquille où elle peut donner ses cadeaux, et qu'on lui sourie, et qu'on lui dise quelques mots. Elle ne veut pas qu'on la remercie.

— J'en ai mis pour vous deux, et puis pour les jeunes gens que je vois parfois, derrière la vitre.

Samira prend les chocolats et se tourne vers les autres, un doigt en l'air. *Non*, souffle Flo en comprenant trop tard. Samira scande : *Un, deux* — et elle se met à chanter. *Joyeux anniversaire.*

Il n'y a personne dans la boutique, et Cathie l'imite avec sa jolie voix claire. Flo aussi – bien obligé. Clémence et Rémi, eux, ont reflué au fond de leur salle, à demi courbés derrière leurs fours, ils se terrent en riant. Non – pas en riant pour Clémence, qui fait semblant. En vrai, une émotion terrible l'étreint. La solitude revient, remonte, l'envahit. Cela lui fait une gifle terrible. Est-ce qu'elle aussi, dans quarante ou cinquante ans, elle devra aller à la boulangerie pour que quelqu'un lui fête son anniversaire ? Est-ce que son existence sera de la même béance que celle de la vieille dame, est-ce qu'elle aura les yeux qui brillent parce qu'une vendeuse aura chanté pour elle ? Et les yeux qui brillent, ce sont les larmes et c'est, au fond, une toute petite joie qui surnage, il faudra se contenter de cela, mais ça ne peut pas être juste ça, la vie.

Merde.

La vieille dame s'essuie les yeux.

Clémence aussi.

Viens, chuchote Flo revenu près d'elle et qui l'emmène dans la cour arrière, étonné par son air défait. Clémence suit, elle entend les applaudissements de Cathie et Samira, les remerciements, les rires un peu forcés. Elle ne veut pas, jamais, qu'on ait pitié d'elle de cette façon. Elle ne le permettra pas. Mais peut-être qu'un jour le silence et la solitude deviennent si pesants que l'on n'a pas le choix. C'est ça ou se foutre par la fenêtre. Elle imagine la tache turquoise du manteau de madame Porte écrasée sur le trottoir. Elle imagine l'éclat vermillon de son sang à elle, Clémence, jeté par-dessus, un trottoir rouge et bleu comme un cotillon comme une fête, cela ne serait même pas triste.

Faire quelque chose avant qu'il soit trop tard.

Mais quoi, quand on ouvre les mains et qu'il n'y a rien dedans, quand on fouille au fond de son crâne et qu'on ne trouve que le chagrin, le vide et la colère ? C'est idiot de dire qu'une fois au creux de la vague, on ne peut que remonter, tellement idiot parce qu'il faut de l'élan pour cela, il faut du courant, et souvent, quand on est au creux de la vague, on se noie. À vrai dire, une fois en bas, il y a beaucoup plus de risques de couler pour de bon que de chances de remonter à la surface.

— Tu y vas, non ?

Clémence lève les yeux sur Flo, regarde sa montre. Onze heures tapantes, il n'a pas oublié. C'est pour cela qu'il l'a poussée dans la rue par la porte de service, pour qu'elle file. On n'arrive pas en retard chez son ancienne patronne. Clémence acquiesce :

— J'y vais.

— La paperasse, hein.

— Oui. Il faut bien le faire.

— On se voit demain, alors ?

— Oui.

Elle ne bouge pas, cependant. Après quelques secondes, Flo penche la tête pour croiser son regard.

— Quelque chose ne va pas ?

Ce quelque chose, Clémence l'écarte d'un geste de la main.

— C'est bête mais... j'ai un peu peur, c'est tout.

— De signer les papiers ?

— D'aller là-bas. Là-bas, mon ex – Thomas –, il connaît bien. Je me dis que s'il y était, enfin tu vois. Je n'ai pas très envie de le rencontrer.

— Pas très envie, ou carrément la trouille ?

— Euh... un peu les deux, ça marche ?

— Il t'a fait quoi, en vrai, ce type ?

Ça soulage de le dire, hein. Au début, Clémence a un peu honte, et les mots viennent mal, cela la replonge dans sa fragilité, elle le sent à ses phrases courtes et hachées, à son souffle qui s'accélère. *C'est bon*, chuchote Flo en mettant ses mains sur ses bras. *C'est bon, calme-toi. Ne me dis pas tout. Juste que je comprenne.* Il a déjà mesuré l'abîme en Clémence, il suffit de la regarder à cet instant, comme si elle avait rétréci, comme si elle s'aspirait de l'intérieur pour devenir transparente, il n'a jamais vu, physiquement, une telle métamorphose, cela l'impressionne.

151

Alors il apaise Clémence, il l'arrête. Il ne sait pas dire autre chose que cela :

— Je suis là, moi.

Et dans son regard franc et droit, Clémence sait que c'est vrai.

— Tu veux que je t'accompagne ? propose-t-il.

Elle rit, un rire trop sec.

— Non, c'est gentil mais – c'est moi qui me fais des idées. Il ne sera pas là. Il ne peut pas être là. Il travaille, lui aussi. C'est juste – elle se tapote la tempe : dans ma tête.

Est-ce rassurant pourtant, quand c'est dans la tête ? Est-ce que cela n'a pas la même force que si c'était réel, et Clémence surveille la rue en arrivant à l'ancienne boulangerie, retient sa respiration comme si les vibrations de l'air trahissaient sa présence, jusqu'à ce qu'elle entre, jusqu'à ce que sa patronne la serre dans ses bras épais et tout doux, *Ça va ma Clémence ?* Clémence chuchote que oui, ça va. Oui, ça s'arrange. Ce n'est pas tout à fait vrai. Elle le dit quand même. Elle l'aimait bien, sa patronne, cela aussi c'est à cause de Thomas, perdre un nid un cocon un repère, tout ça pour sortir de ses griffes à lui. Pourquoi c'est elle qui doit sacrifier tant de choses, se demande-t-elle, mais elle se tait, elle sourit. Oui elle donnera des nouvelles.

Et soudain, ce n'est plus du tout vrai que ça va mieux : car la patronne de la boulangerie parle de Thomas. Clémence ne l'a pas vu venir, elle n'a pas deviné les mots qui allaient sortir, elle ne s'est pas préparée. D'un coup, elle se retourne, comme si Thomas était derrière elle, dans la rue. Elle se met à trembler de la tête aux pieds, son corps lui échappe. La femme en face d'elle rit en lui prenant le bras.

— Non, il n'est pas là. Je te disais seulement que je le vois à la boutique. Il achète une baguette et il demande si tu es là. J'ai beau lui avoir expliqué dix fois que tu avais changé de travail, il vient toujours.

— Tu ne lui as pas donné…

— Rien ! Pas de numéro de téléphone, pas d'adresse, ne t'inquiète pas. Mais tu sais, Clémence.

Et Clémence dresse l'oreille. Elle le connaît, ce ton. Elle les connaît, les phrases qui vont suivre. Ce sont celles qui trouvent Thomas *tellement charmant* ; celles qui se demandent si elle, Clémence, n'exagère pas (un peu) :

— Tu m'as dit que vous vous sépariez, c'est toujours compliqué et je ne suis pas à ta place. Pourtant il a l'air gentil, ce garçon. Il est bien élevé, il est calme, il est souriant.

Dans le mille.

— Tu as parlé avec lui ? se méfie Clémence.

— Oh, juste un peu.

153

— Ça suffit tu sais. Pour te retourner la tête, il est champion.

Sa patronne a un geste d'apaisement.

— Je ne vais pas prendre sa défense. Je me disais simplement qu'il avait l'air inoffensif, qu'il ne ressemblait pas à ce que j'avais imaginé quand tu me le décrivais. Vraiment, Clémence, je ne crois pas que ce soit un monstre.

Pas un monstre – oh que si, oh je te promets que si, pense Clémence en n'écoutant plus et en posant la question qui lui brûle les lèvres : *Il vient souvent ?*

— Presque tous les jours.

— À la même heure ?

— Non, c'est drôle. Il doit avoir des horaires irréguliers, c'est tantôt le matin, tantôt l'après-midi, parfois le soir ou en milieu de matinée, bref, c'est n'importe quand.

Pour finir par la croiser. C'est comme un chien de chasse, il explore toutes les pistes possibles, il croise les trajets, il sillonne en tous sens. Impossible, un jour ou l'autre, de ne pas tomber sur une trace ou une odeur. *Bon sang, ça fait peur*, se dit Clémence en fermant les yeux un instant. En une fraction de seconde, la sensation d'être une proie est revenue, elle la prend de plein fouet, une gifle monumentale. Son cerveau est entré en alerte, paralysant la moitié de ses pensées. Carrément la trouille, a dit Flo ? Dix fois, cent fois oui. Cela lui voile les choses devant les yeux, cela bourdonne dans sa tête. Elle arrive à parler, et ce n'est plus elle. Les mots se forment mécaniquement, elle ne les choisit pas, elle ne s'en souviendra pas. Et pas non plus son sourire figé, l'étreinte froide et raide à sa patronne qui fronce les sourcils, la porte qu'elle pousse pour sortir, le vélo qu'elle fait tomber avant de l'enfourcher. Son cœur bat si vite qu'elle craint de s'évanouir, une syncope, une connerie comme ça. Un truc de gonzesse, a dit Thomas la première fois que —

Dieu, cette première fois.

Un peu plus loin, elle s'arrête, s'adosse à un mur. Des palpitations à faire bouger le mur, à rythmer son corps entier dans des soubresauts incontrôlables. Elle se sent misérable. Car il ne s'est rien passé. Thomas vient à la boulangerie, et puis. C'est quelque chose, ça ?

Rien du tout.

De la merde.

Elle, la merde ! Elle qui déforme tout. Il ne l'a pas menacée, pas agressée, pas insultée, il ne l'a même pas vue. Pas vue, bon sang ! C'est elle qui réagit trop fort, trop peur. Elle sur qui les passants se retournent dans la rue, avec son air de folle. Elle, sa patronne l'a dit : il n'y avait rien à voir.

Rien, putain.

155

Clémence, tu déconnes.

Il a raison ce salaud, il a toujours eu raison : c'est elle qui délire. Personne ne l'a jamais crue quand elle pleurait qu'il la tyrannisait. Qu'il la tenait – comme on tient un chien en laisse. Elle lui avait promis, au début. *Je ferais tout pour toi.* Voilà, elle l'avait fait. Mais il fallait toujours plus, et ce n'était toujours pas assez. Et les autres – les autres, ils ne l'écoutaient pas. Ceux qui l'écoutaient, Thomas les avait bannis de leur vie depuis longtemps.

Clémence renifle, reprend son vélo, elle rentre. Elle ne peut pas s'empêcher de regarder autour d'elle pour être sûre que Thomas ne la suive pas, embusqué quelque part. Peut-être qu'il ne l'a jamais suivie. Peut-être qu'elle invente tout. Peut-être que ce n'est pas lui, le problème.

Si elle se voyait, si elle s'entendait : elle détesterait cette fille trop faible, elle en est sûre, cette fille qui ne sait que pleurer et trembler. Elle lui crierait : *Mais pars, bon sang !* Et quand elle serait partie, elle lui hurlerait d'avancer, de ne pas se retourner, se retourner c'est bon pour les minables.

Minable.

Est-ce que tout n'est pas dit ?

Alors Clémence pédale comme une dératée, secouée, déboussolée, elle enfile les rues à en perdre haleine, elle passe les trottoirs, les sens interdits, elle grille les feux rouges. Cela fait partie de ces choses insensées en elle, ces pensées fulgurantes, hors de toute raison : soudain, elle a besoin de la main de Gabriel, pour poser son front dessus. Elle a besoin de sa voix, de son refuge, d'un jardin familier, elle a besoin de ne plus être seule. Oui soudain, il n'y a que lui qui puisse l'aider. Retrouver ces instants apaisés pendant lesquels tout s'est suspendu la veille, toute la noirceur, toutes les ténèbres qui enveloppent Clémence et l'aspirent, car ce n'est pas le creux d'une vague qui la menace : c'est le bord d'un trou noir. Là où les courants s'emballent en tourbillonnant vers un abîme sans fond, là où la force des courants est si grande que rien ne peut être sauvé – tout à coup, la matière disparaît. Elle est là, Clémence. Elle n'arrive pas à mieux faire. Sous ses pieds, ça s'effrite. L'anéantissement l'effraie mais cela l'entraîne, c'est comme si elle avait une jambe prise dans des sables mouvants et que chaque mouvement pour s'en dépêtrer la tire un peu plus vers le bas. Soit elle sombre, soit elle sacrifie une de ses jambes pour essayer de sauver ce qui peut être sauvé. Soit, car il existe une troisième possibilité dorénavant –

Gabriel.

C'est idiot, parce qu'elle ne le connaît pas, pas du tout. Délire. Folie. Elle l'a croisé une seule fois, après une course effrayante. Pour elle, il est un prénom, une voix qui chavire et rien d'autre. Le reste n'est que du pressentiment : Gabriel est là pour elle, une bouée, un rocher. Le reste – est du fantasme, du rêve, de l'attente. *C'est complètement débile*, se dit-elle sans s'arrêter, sans cesser de pédaler à en crever comme si sa vie en dépendait, un coup de tête, le souvenir de la main de Gabriel sur elle la veille, cela ne vaut rien, elle s'accroche, elle a senti quelque chose, elle, ces jours à le guetter derrière la haie de thuyas c'est comme si elle l'avait rencontré depuis des semaines. C'est cette conviction, ou ce coup de tête, qui lui fait jeter son vélo dans la courette en arrivant, qui la précipite à l'arrière, dans le jardin, elle scrute à travers les arbres, Gabriel n'est pas là, personne n'arrose et l'herbe est vide.

158

Clémence les yeux qui brûlent, Clémence avec cette sensation vertigineuse d'une chance évanouie, de la nécessité de quelqu'un qui pourrait être n'importe qui – personne. Personne pour elle, cela donne une idée de ce que c'est, la vie. Il n'y a rien à quoi se tenir, pas une aspérité, pas une étincelle, même pas de Gabriel qui n'existe que dans un espoir insensé.

Toute seule.

Jamais elle n'a entendu de mots aussi terribles.

Alors en piétinant et en refrénant une plainte, elle se précipite encore, parce qu'elle a cela de chevillé au corps, que jusqu'au bout rien n'est perdu. Jusqu'au bout elle essaiera, et elle lève les bras pour se protéger, elle passe la haie. Elle écarte les branches des thuyas en s'égratignant partout, elle force, elle secoue les brindilles dans ses cheveux ébouriffés, ça y est, elle est chez Gabriel. Elle court, elle ne regarde rien des massifs bien léchés, de la pelouse tondue, des fleurs soigneusement nettoyées : elle tape à la grande baie vitrée, pas un toquement bien élevé de trois petits coups clairs, mais ses mains à plat, écrasées contre le verre, qui cognent pour appeler, des gestes effrénés pour supplier, elle ne pense pas qu'elle fait des marques partout. À l'intérieur, Gabriel sursaute.

Il a ouvert. Il a vu le regard de la petite, l'effroi tout au fond, il a compris que quelque chose, une immense chose, n'allait pas. Il l'a allongée sur le

canapé en remontant une couverture sur elle, l'a
obligée à boire quelques gorgées de thé. Pas de
question. Pas de mots. Elle a fermé les yeux, l'épouvante a cédé lentement à une étrange fatigue.

Après, Gabriel s'est assis dans le fauteuil à côté
et il a attendu.

Il veille sur la petite, s'évade, éprouve l'angoisse
des vieilles années, un désespoir qui pue la charogne,
qui le remplit, le terrasse. Le regard de Clémence en
dit bien plus que les mots qu'elle mettra dessus par
la suite, Gabriel n'est pas pressé, il a juste peur de
ce qu'il y aura dedans. Il se sent comme un berger
auquel on amène une brebis à moitié dévorée par
un loup, ne sait pas ce qu'il faut faire, s'il pourra
le faire. Ne sait pas si ce qu'il a en face de lui est
sauvable : pour le moment, Clémence est là mais
n'est pas là, il la devine derrière ses paupières closes,
qui cherche, au fond de sa chair, un peu de force
pour revenir, pour se reconstituer, pour affronter
la vie à l'instant où il faudra bien les rouvrir, ces
yeux-là. Alors Gabriel l'observe puis se perd dans le
vide. Il flotte. Il gonfle, s'étend, recouvre l'univers
comme une bête immense. Sa peau se disloque.
Dans son ventre, les entrailles gémissent, supplient
que l'on cesse ; et rien n'arrêtera cette dilatation
perdue d'avance − car Gabriel n'absorbera jamais
le monde entier −, qu'importe, il se déploie encore

un peu plus, avale la terre et les océans. Au-dessus d'eux, il vole et tourne et virevolte, les mains plongées dans l'humus et l'eau vive. L'écœurement, toujours. Reprendre de la hauteur n'y changera rien, même à croiser les oiseaux bleus inconnus, et les anges auxquels il ne croit plus.

Un soubresaut, comme un avion dans une turbulence. Gabriel ondoie quelque part dans une conscience abîmée. Les mains serrées sur la gorge, il veut étouffer l'orage qui monte, le refuse, ignore la sueur qui coule le long de son visage. Il durcit son étreinte, les doigts dans la bouche, s'étrangle – essaie, cela ne suffit pas. Une convulsion le jette en avant. Il a des étourdissements, lui semble-t-il.

L'heure passe sur l'horloge.

La petite dort ou fait semblant.

Gabriel se sert un verre. Du whiskey irlandais, comme il aime. Un verre qu'il avale d'un trait, pour se remettre d'aplomb. Verse un deuxième. Il observe la gamine à travers la robe ambrée de l'alcool qui danse dans sa main. Boire – il n'y trouve aucun plaisir. Au début, l'ivresse le faisait rire. Au début, tout était bon.

Ensuite, il y a la nécessité. C'est là que les problèmes commencent. Boire parce qu'il le faut. Parce que sans cela, on ne tient pas. Ce n'est pas seulement un verre, ni même deux. Cela ne se voit pas. Cela s'entend à peine. L'alcool fait partie de

Gabriel, et la conscience aussi : pourquoi. Combien. Jusqu'à quand – à cela il n'y a pas de réponse.

Gabriel boit, se convainc qu'il maîtrise. Boit trop. Qu'importe. Cela ne l'empêche pas. Parfois il y a les vertiges oui. Ces fois où il se laisse glisser du fauteuil au sol. Pas tomber, pas blesser. Mains à plat, écartées pour se donner une assise. La terre tourne. La tête tourne. Il faudrait fermer les yeux – s'il n'y avait pas, toujours, l'écœurement. Gabriel, hébété sur le carrelage frais. Il voudrait y poser sa joue, cela lui ferait du bien. Rester là pendant des heures, écrasé par une volonté enfouie. Devenir une sorte de chose immobile, sans dessein et sans projet. Ce serait si reposant.

La petite a bougé, Gabriel se redresse. Peut-être s'est-il endormi un infime instant : il est assis par terre, adossé au fauteuil, comme tant d'autres fois. Il regarde autour de lui, incertain, mais le décor est entièrement identique, le tapis, la table basse, le canapé où la seule chose différente des autres jours est la présence du corps de Clémence contre les coussins. Gabriel se hisse. Comme les cris des matelots quand ils forcent sur leurs bras qui luttent contre le poids et contre le vent – *Hisse*, jusqu'au fauteuil qu'il retrouve du bout des doigts.

Des gestes hachés pour attraper le paquet de cigarettes. Gabriel a de longues mains raides, le briquet rechigne. Et puis. Une flamme. Une profonde aspiration. Respire. La fumée dessine un nuage autour de son visage, lui fait plisser les yeux. Et peut-être est-ce le bruit du briquet : sur le canapé, la gamine a ouvert les yeux. Gabriel lui sourit.

Elle – le murmure. *Oh. Oh là là.*

Elle repousse la couverture. Gabriel a un signe d'apaisement.

Tout va bien.

Elle ne le croit pas, cela se voit dans ses yeux. Il lève sa main qui tient la cigarette.

— Vous en voulez une ?

Elle refuse d'un geste.

— Vous ne fumez pas ?

Elle secoue la tête – pas un mot. Il sourit encore, soupire en suivant des yeux la fumée qui s'envole au-dessus de lui.

— Moi si.

Il la regarde. Elle – la cigarette. Elle, il l'observe au bout de ses doigts. Qui l'a foutu en l'air. Plus d'odorat, plus d'artères, plus de cœur. Un homme dont le corps oscille entre cinquante et soixante ans, il a arrêté de compter depuis longtemps, lui, il refuse qu'on lui souhaite son anniversaire. Il est jeune, Gabriel. Et centenaire. Il lui reste quinze ou vingt ans à vivre, mais cela, ce sont les statistiques. En vrai : cinq ans s'il n'arrête pas. Ou même demain ?

Comment dit le médecin déjà ?

Vivre. La belle affaire.

Il écrase le mégot dans un cendrier en verre. En face de lui, la petite n'a toujours pas prononcé un mot. Elle l'observe. Elle observe autour d'elle. On dirait un chat entrant dans un environnement inconnu. Prudence. Méfiance. Gabriel se lève et s'approche, il se penche vers elle. Elle ne recule pas. Tout au plus ses yeux s'agrandissent un peu pour le surveiller. Tant mieux : ce qu'il veut, lui, c'est voir au fond. Au fond, il n'y a plus l'alerte, la folie dans les prunelles. C'est calmé ; un lac tranquille. Gabriel dit : *Bien.* Et puis cette question dont il connaît la réponse, cette question stupide par laquelle tout commence toujours :

— Est-ce que ça va ?

Elle hoche la tête de manière presque imperceptible.

Bien sûr que non, pense-t-il en la dévisageant. En lui, il y a ce réflexe exaspérant qu'il sent venir depuis qu'il l'épie endormie sur le canapé, celui de cette foutue empathie, de ce don prodigieux à deviner les autres, tu aurais dû être psy lui disaient ses amis, tu as quelque chose en toi – vraiment ? Est-ce qu'il aurait pu sauver le monde, Gabriel, à commencer par lui ? À quoi ça rime, un don dont on ne sait pas quoi faire, un don qui ne sert à rien et que la réalité contredit ? Pour ce que ça a changé. Pour ce que ça a aidé. Gabriel a cessé d'écouter les autres, il s'est concentré sur son métier de chercheur. *Tu entends ? Cher-cheur. Tu n'es pas, tu n'as jamais été un thérapeute.*

Et merde.

— Vous voulez un autre thé ?

Une seconde question banale et ridicule. Clémence murmure : *Non merci.*

Encore le silence. Il a serré le poing sur sa bouche, il ne veut pas être le premier à parler. Il veut qu'elle explique pourquoi elle est là, pourquoi elle s'est jetée chez lui comme si elle avait le diable à ses trousses, lui, un parfait inconnu, ou alors c'est qu'elle n'a personne, personne. Elle baisse le nez, chuchote d'une toute petite voix inaudible :

— Je suis désolée.

Il sourit. Elle le perçoit, ce sourire, elle hausse les épaules.

— C'est un peu le désordre, ma vie en ce moment. Ça ne va pas très bien. Je ne sais pas pourquoi je suis venue chez vous – et elle se lève, il sait qu'elle va partir, il l'arrête d'un geste : *Non.*

Elle ne bouge plus. Elle reste immobile au milieu de la pièce, il ne la voit pas respirer, on pourrait croire que c'est une statue. Gabriel choisit ses mots.

— Je crois aux signes, murmure-t-il. Si vous êtes ici, ce n'est pas par hasard. C'est peut-être que je peux vous aider.

Elle : regarde vers la baie vitrée. Il l'a laissée ouverte et cela semble rassurer la petite, elle a l'allure d'une bête sauvage enfermée qui se demanderait comment s'échapper, ce n'est pas vrai qu'elle est calme. Alors il rectifie :

— Je suis *certain* que je peux vous aider.

Ses yeux sur lui. Elle ne le croit pas, pourtant elle écoute.

— Vous aviez l'air effrayée en arrivant, continue-t-il. Mais je vous vois maintenant, et il y a aussi beaucoup de force et d'énergie en vous. Vous voulez me raconter ce qui s'est passé ?

Clémence a souri, un sourire très différent, enfantin, attentif soudain. Gabriel ne regrette pas d'avoir menti. Dans le regard de la gamine, il n'a trouvé que de l'effroi. Ça ne coûte rien d'enjoliver un peu les choses, il se souvient que n'importe quel appui peut être salutaire quand on est à bout de — justement, de cette force dont il parle.

— Ce n'est pas l'impression que j'ai, hésite-t-elle. De tenir le coup.

— Qu'est-ce qui s'est passé ?

Elle soupire.

— C'est tellement ordinaire. Une rupture difficile, c'est tout.

Gabriel acquiesce. Tellement ordinaire, et tellement énorme : chaque fois, c'est une existence, ou deux, qui s'écroulent. Le monde rétréci à deux êtres déchirés. Il est passé par là, lui aussi. Cela fait des années que sa femme est partie, elle disait qu'il était devenu invivable. Sans doute était-ce vrai. Il ne voulait plus personne avec lui.

Puisque tout était foutu.

Aujourd'hui, ses nièces sont les seules à venir le voir. Il les aime bien, les filles. Cela fait de la joie dans la grande maison trop grande.

La petite le regarde sans un mot, elle pourrait avoir disparu qu'il ne l'aurait pas entendue. Il sourit.

— Oui c'est difficile. Je suis là, si vous voulez.

Je suis là. Comme Flo, aussi. Clémence observe Gabriel en secouant lentement la tête. Elle en meurt d'envie, de s'asseoir un moment et qu'on la console, mais —

— Pourquoi feriez-vous cela ?

Gabriel se prend le visage entre les mains, ne répond pas. Le silence est naturel pour Clémence, elle ne le remarque pas. Elle balaie l'espace, erre sur les murs, sur les tranches des livres, sur l'ordinateur éteint. Gabriel la regarde qui regarde ailleurs, qui regarde les grandes photos sur les étagères, ces grandes photos qui. Au bout d'un moment, il dit :

— C'est mon fils.

— Oh. Il a quel âge ?

— Sensiblement le même que vous, je pense. Ou un peu plus.

Clémence fronce les sourcils. Le garçon sur les photos a l'air si jeune. Cela lui semble si improbable qu'ils aient le même âge.

— Il fait quoi ?

Gabriel ouvre les bras, soupire avec un geste qui ne signifie rien.

— Il n'est pas là.

Pas là, et Gabriel lance quelques mots qu'il faut recoudre ensemble, son fils à l'autre bout du monde, en vadrouille, en affaires, Clémence n'est pas certaine – le fils qui ne revient pas, elle cherche l'explication, une autre douleur, une autre rupture que la sienne. Sur les photos, elle observe à nouveau le garçon : il est beau, comme Gabriel, la souffrance en moins. Des boucles brunes presque longues sur un visage imparfait, voilà, c'est l'imperfection qui lui donne ce flamboiement si particulier, cette séduction qui s'ignore. Elle ne pose pas de question. Elle sent que le fils est une béance – de lui, Gabriel ne dit rien, que son nom, choisi par sa mère : Colin. Pour Clémence, le fils ne sera qu'une suite d'images.

— Tout de même, murmure-t-elle en se rapprochant des photos, il ne peut pas avoir trente ans. J'aurais mis ma main à couper qu'il n'en avait pas plus de vingt.

Gabriel soupire. Pas un soupir tout simple : un qui racle le fond du ventre, qui fait mal en passant dans la gorge, qui étouffe et rend la voix grave tellement grave.

— Vous avez raison. Il aurait eu trente-cinq ans en octobre. Mais il est mort depuis longtemps.

Il y a quinze ans, le téléphone a sonné chez Gabriel. Il n'a pas eu le temps de répondre. Occupé, distrait, ras-le-bol, qu'importe. De ces téléphones fixes qui n'affichaient pas les numéros, qui clignotaient si l'on laissait un message, et la lumière ne clignotait pas. Il a jeté un œil de loin, et il a oublié. Il s'est remis à son bureau, à son travail, au livre qu'il était en train d'écrire.

Lorsque le téléphone a sonné à nouveau, le monde s'est effondré.

Gabriel ne se pardonnera jamais d'avoir manqué le dernier appel de son fils. Depuis quinze ans, il réinvente la scène. Il ressent, tels des coups de poignard, l'épouvante de l'abandon, du téléphone qui sonne dans le vide au moment où il aurait fallu absolument, entièrement répondre. Et lui, il était là. Il ne peut même pas se consoler d'avoir été ailleurs, en déplacement, en rendez-vous, les excuses se sont volatilisées. Seule reste la certitude que Colin l'a appelé comme on joue son va-tout, et que Gabriel n'a pas jeté de bouée à la mer. S'il avait répondu, il en est convaincu, son fils ne se serait pas pendu à la bibliothèque chez sa mère, et il aurait eu trente-cinq ans cette année.

Quinze ans : pour les autres, c'est plus que le temps nécessaire pour guérir de cette chose inguérissable. Au début, tout le monde comprend, tout le monde s'immobilise, priant seulement que cela n'arrive qu'ailleurs. Mais si une vie s'est arrêtée, les autres continuent. L'existence les reprend. Il y a juste une place vide. Le temps du deuil – quelle affreuse, quelle impossible expression. Le temps de *cela* n'est pas concevable, il est infini, il ne se répare pas ni ne cesse. Colin n'est jamais revenu. Il n'y a pas eu de miracle. Alors Gabriel a fait semblant, pour que les autres se rassurent, pour ne pas sombrer tout à fait.

Semblant de guérir. Seulement ce n'est pas vrai, il n'est pas apaisé. Il ne veut pas l'être. Il se contente de mentir, pour qu'on lui foute la paix. Le jour, il mime, il feint, il joue. Il brille, il ouvre les bras, il éclate, tout le monde l'aime. Personne ne se doute que la blessure à l'intérieur, plus que cicatriser, est devenue un abîme. Le soir, l'alcool colmate la plaie à grand-peine pour tenir un soleil de plus, des petites révolutions d'aube en aube, au moment où les ténèbres cèdent. Gabriel est une marionnette, un chiffon. Le destin l'agite chaque jour, l'obligeant à vivre, pantin superbe qui parle et rit et rayonne, sidérant les autres – un spectre de lumière, une illusion d'or et de sang.

Chaque nuit, Gabriel meurt un peu de cette détresse qu'il n'a ni vue ni entendue.

La même que dans les yeux de Clémence. De cela il est sûr.

Il ne sait pas à quel point il a raison.

Certains jours, à la boulangerie, les gestes quotidiens demandent à Clémence une force qu'elle ne sait plus où trouver. C'est une sensation troublante, que devoir faire des choses si ordinaires avec tant d'efforts : tendre un bras, traîner un sac de farine, se baisser, sortir une grille de pains. Le corps rechigne, le corps se cabre. Chaque mouvement s'assortit de cette douleur si particulière, comme si Clémence avait couru la nuit entière ou porté des blocs de pierre la journée durant, des muscles raides, secs, acides. Il faut une telle énergie pour ces gestes-là : l'énergie qu'elle a sentie dégringoler à l'intérieur d'elle-même, se tasser dans les talons et passer dans la terre, la dépouillant de toute ressource, de toute volonté. C'est la fatigue, se dit-elle. Quand tout ça sera fini, ça ira mieux. Mais justement – quand ?

Clémence a déménagé, changé de travail, elle a déplacé son espace. Elle pensait que le temps ferait de même. Comme quoi l'espace-temps est une notion discutable : l'un peut se modifier sans que l'autre bouge. Ou alors, c'est une question de point de vue. Ou alors, c'est trop compliqué pour une boulangère. Cependant la réalité est là, pour elle, tout l'espace a changé et le temps reste statique.

Lorsqu'elle rentre vers midi, Clémence déjeune et s'endort. Les nuits sont trop courtes, elle a besoin de récupérer. C'est peut-être simplement cela, la fatigue, au bout de treize ans de sommeil avorté. Vers quinze heures, une nouvelle journée commence. Pour la seconde fois, Clémence s'éveille, se lève, se met en route. Souvent, elle devine dans le jardin la silhouette du petit chat qui lui a fait si peur l'autre soir, et qui décampe au moindre mouvement à l'intérieur de la maison. Les croquettes disparaissent chaque jour. Elle le sait, qu'il est là. Fuyant, flottant. Peu à peu, elle l'apprivoise. Clémence se frotte les yeux, l'épuisement ne la quitte pas malgré les siestes et les longues heures à traîner sur la terrasse, incapable de décaper une porte, de repeindre un mur. Il lui arrive de rester assise tout l'après-midi à la table dehors. Pour se donner un but, elle guette le petit chat. Elle scrute l'intérieur du jardin, là où les arbustes font des cachettes, épiant des feuilles qui bougent, cherchant

173

des rayures noir et fauve. Elle se lève. Elle y va. Le chat n'est qu'un prétexte. Elle devrait le connaître par cœur, ce jardin exigu, elle devrait savoir toutes les planques, toutes les niches – il en reste toujours à découvrir. Parfois, elle a l'impression que quelqu'un est venu et a creusé ce morceau de terre, a déplacé ce caillou, a couché cette herbe. Le jardin vit, grandit, s'abîme, il n'est jamais pareil, même quand Clémence ne fait rien. Il existe en dehors d'elle, de jour en jour. Mais si elle participe, cela va mieux. Alors elle désherbe, elle ratisse, elle nettoie, elle taille (pas trop). Au début, son dos tirait et c'était tout ; à présent, son regard s'ajuste, mesure les changements, approuve, son corps se met peu à peu au rythme des plantes. Il y a quelque chose de végétal en elle, lent et souple, quelque chose de plus bas et plus ancien que l'humanité qu'elle représente, elle descend dans les racines des arbres, elle s'ancre, cela lui fait du bleu dans les veines, du bleu comme le ciel, muet, paisible. Elle se tient là sous le couvert des feuillages légers, le jardin malgré les arbres est plein de touches de lumière qui passent à travers, des rayons de soleil, des morceaux de jour, des particules de poussière qui brillent et font des cabrioles sous le souffle de l'air. Clémence est une plante, les pieds posés sur la terre, le visage tourné vers le ciel. Elle imagine la longue attente de ces êtres qui ne bougent pas, espérant la pluie et la douceur de la saison, sans autre but que de survivre et de grandir à l'abri des arbres plus grands, puis de les rattraper, de les dépasser peut-être. Sur le côté droit, un eucalyptus pousse en tige, un fil élancé vers les nuages, trouant les feuilles, troublant le petit bois en nuances grises et vertes. Le jardin ne pense à rien. Le jardin n'a pas de chagrin, et pas de joie. Juste, il existe. Tellement plus sage. Tellement tentant, si Clémence pouvait déconnecter quelque chose de son cerveau pour regarder passer les jours sans ressentir la peur, la solitude, l'angoisse du lendemain. Tant qu'elle est assise sur la pierre du bassin, elle a l'impression de voler un peu de calme, de prendre une part d'apaisement. Elle ne sait pas si c'était pour elle. Elle ouvre les mains et cela vient.

C'est toujours difficile de sortir du jardin, difficile de quitter cette sensation cotonneuse pour aller vers le temps agité, raccourci, tendu. Au moment où Clémence sort de la forêt – décidément, elle a décidé de l'appeler sa *forêt* et tant pis si c'est ridicule –, la réalité s'abat sur ses épaules, comme si elle s'était suspendue un instant. La vie reprend son cours. Le monde, brièvement interrompu, redémarre tel un moteur calé, cela fait du bruit et du mouvement, soudain il faut y aller, courir, vivre ! C'est fatigant de vivre, se dit Clémence.

175

Dans cette seconde partie de la journée, le temps s'étire pour la seconde fois. Peut-être Clémence n'a-t-elle pas assez de force pour supporter deux jours chaque jour, pense-t-elle. C'est drôle cette impression d'avoir le double du temps des gens ordinaires, ce décalage que personne n'a prévu dans les calendriers, il pourrait y avoir un mardi et un mardi *bis*. Les horloges pourraient se remettre à zéro toutes les douze heures, cela ferait de toutes petites journées, tout le temps. Cela pourrait être une chance, si ce n'était l'enfer.

Est-ce la lassitude, est-ce cette braise minuscule qui persiste et qui pourrait lui redonner vie, Clémence ? En rentrant, le cœur encore battant du trajet à vélo, elle a attendu sur la terrasse. Quand Gabriel est sorti dans son jardin, elle n'a pas eu besoin de l'appeler, il est venu vers elle, au bord de la haie. Il a souri en l'invitant d'un geste.

— Un café ?

Elle a hoché la tête. Il n'a pas demandé quoi, pourquoi, rien. Elle était là et il l'a prise. Le café sentait bon. Elle s'est dit qu'elle ne lui en proposerait jamais un – le sien, même dans la cafetière retrouvée, c'est du jus de grandes surfaces.

Il la contemple. Elle est si fatiguée qu'elle ne cherche pas à échapper à son regard. Elle guette le moment où Gabriel rompra le silence entre eux, l'instant où il pensera que c'est assez, c'est suffisant, il faut parler aussi, pas seulement s'observer, pas seulement rester en silence. Elle, timide, muette, tellement stupide : ne sait pas comment commencer, puisqu'elle devra commencer par un bout. Ne sait pas quoi dire. C'est pour cela que Thomas dînait devant la télévision. *De toute façon, tu n'as jamais rien à raconter.* Mais comment rendre palpitant le moment où elle avait manqué de baguettes aux graines de pavot à la boulangerie, et qu'il avait fallu sortir un sac de farine en dépilant ceux des pains de campagne qui étaient mal rangés ? Comment éveiller l'attention en expliquant la maladresse de l'étudiant qui, en prenant son croissant, avait renversé sa boisson sur le chien blanc du client suivant, chien qui était reparti avec une large tache brune sur le dos ? Où est l'excitation des journées de Clémence ? Parfois, elle murmurait quand même ces scènes ordinaires, cela mettait un peu d'animation entre eux pendant le repas ; quand elle s'était aperçue que Thomas ne l'écoutait pas, elle avait cessé. Il se resservait une ou deux fois dans le plat. Après, il soupirait que c'était mauvais – non, mauvais, c'est Clémence qui traduit, Thomas, lui, crachait : *dégueulasse.* Par chance, il n'était pas difficile. Elle, des pensées qui la dérangeaient – *Va te faire foutre.* Si elle l'avait dit à voix haute. Mais cela lui faisait du bien. Il y avait trop de choses qui n'allaient pas, trop pour les garder toutes en soi.

178

Expliquer cela à Gabriel ? Des histoires qui ressemblent à des potins de collégienne ? Gabriel se tait toujours. Le silence ne le gêne pas : il attend. Attendra la nuit s'il le faut. Il se contente de reprendre la cafetière et Clémence envie son sourire et ses gestes amples, le naturel avec lequel il la ressert – *Merde, j'en ai renversé à côté, chaque fois c'est pareil.*

Elle rit.

Eh bien.

Bien sûr qu'elle ne lui raconte pas tout. Loin de là, même, car elle ne veut pas que son regard à lui la dépiaute comme il le fait au début, comme si elle ne pouvait rien lui cacher – alors oui, elle lui cache plein de choses. Il n'est pas dupe. Ce qu'il pense quand elle repart, c'est qu'elle ne ment pas si mal, pour une petite môme paumée. Il a le temps : peu à peu, il comprendra d'où elle sort, d'où elle s'est enfuie. Il sent dans son corps un frémissement jubilatoire, le même très exactement que lorsqu'il cherche la solution à un problème et qu'il devine, avant même de l'avoir trouvée, qu'elle est dans sa tête.

Une rupture, a murmuré Clémence. D'accord, pense Gabriel. Mais pas n'importe quelle rupture. Quelque chose d'énorme. Une relation toxique, terrible, féroce ? D'accord encore. Pas seulement l'emprise. Pas seulement la crainte et l'humiliation. Quelque chose de plus grand – il l'a aperçu dans ses yeux à elle quand elle en parlait en tournant autour : la terreur. Pourquoi un type a priori riche et beau a mis la main sur cette boulangère timide – est-ce que vous en avez une idée, a murmuré Gabriel.

Elle a dit oui.

Pour être plus fort que moi, en tout. Pour que je reste toute petite, que personne ne me voie. Pour que je n'aie aucune autre ressource que lui.

Vous étiez comme ça, avant ?

Non. Enfin oui.

Cette saleté de transparence, hein. Depuis quand, elle a l'impression – depuis toujours, mais ce n'est pas vrai. Cela remonte à cette nuit où, pendue au bout du pull de Jean, elle a cessé d'exister. Trop petite, trop légère : comme si elle n'était pas là. Comme si elle ne tirait pas de toutes ses forces pour empêcher que l'on fasse du mal à sa mère. De ce jour, Clémence est devenue une peccadille, un petit rien qu'on enlève de son épaule d'une pichenette, elle est restée à la marge des autres et à la marge du monde, tout le temps, diluée, inconsistante. Gabriel la regarde, lui. Il a fallu du temps, à cause des thuyas et des oreilles abîmées, mais ça y est : il la regarde. Dans le reflet de ses yeux, il n'y a qu'elle. Elle se voit dans ses prunelles, déformée et réelle à

180

la fois, elle a beau bouger, elle y est toujours. Elle est fascinée par cette image. Il ne demande pas pourquoi elle le fixe de cette manière. Pourtant Clémence a l'air d'une folle, rivée à ses yeux à lui, à l'éclat brun au fond des pupilles, à la lumière qu'elle fait en se déplaçant dans le jardin, en se déplaçant dans le regard de Gabriel.

Il la rattrape chaque fois.

Elle voudrait rester toute sa vie dans ses yeux.

Elle pense : Je suis là. Je vis.

Pour la première fois et sa mémoire ne retrouve pas la date, elle parle d'elle. En face d'elle, un inconnu. Elle a l'impression de le côtoyer depuis mille ans. Plus tard, elle se dira qu'elle fait peut-être la même erreur que – elle se dira qu'elle est allée trop vite, avec sa vie à déballer, elle pensera qu'il a réellement dû la trouver stupide. Pour l'instant, elle est loin de tout cela. Elle parle dans les yeux de Gabriel et elle n'a pas peur.

Juste, elle ne dit pas tout.

C'est l'après-midi qui passe.

Et puis c'est l'heure où le soleil descend derrière la forêt de Clémence. En quelques minutes, le ciel pâlit. Gabriel se lève d'un coup. *Nom de Dieu*, dit-il. Le temps a filé si brutalement. La lumière déclinante lui rappelle le rendez-vous presque manqué, il doit rejoindre la plus jeune de ses nièces sur le point d'acheter un appartement à quelques

181

rues de là. Il a promis de donner son avis, il était content qu'elle lui demande ; soudain, cela l'accable. Mais une promesse, ça se tient. Alors il se lève, il ouvre les bras. *Je suis en retard*. Il rit. Clémence aussi. *Filez,* la presse-t-il en lui expliquant. *Passez par la haie. Vous savez comment on fait.* Elle rit encore et il s'immobilise un instant, ému par le visage détendu de la petite, étonné par cette nécessité en lui, immédiate, impérieuse, d'avoir en elle quelque chose à sauver. Car il ne s'était pas trompé : elle est au bout. À bout. En miettes. Elle a beau ramasser ses morceaux, donner l'illusion, il la voit comme un vitrage feuilleté qu'on aurait essayé de briser : debout — avec mille fissures en étoiles à l'intérieur. Et Gabriel a cela en lui, depuis quinze ans, qu'il s'est juré de ne plus jamais passer à côté. Ne plus jamais omettre de répondre au téléphone parce qu'il y aurait autre chose à faire, de si petites choses, si insignifiantes. Ce n'est pas une question de métier, c'est une question d'être. Cela lui brûle les doigts, lui brûle le cœur. Il y a des gens comme ça, des sauveteurs, des saint-bernard, il y a des gens comme ça : qui ne savent rien faire pour eux-mêmes mais sont des magiciens pour les autres. Pour lui, pour Colin, Gabriel a tout manqué. Et aujourd'hui, elle, la petite. Peut-être qu'il peut l'aider, comme il a dit.

Pas peut-être. Il *faut*, pense-t-il en la regardant s'éloigner derrière la haie, avec sa main qui s'agite pour lui dire au revoir. Avant qu'il soit trop tard. Avant que le premier éclat de la vitre tombe à terre, entraînant tous les autres à la suite.

Flo, c'est autre chose.

Flo, le lendemain, quand Clémence lui a raconté la peur revenue à l'ancienne boulangerie, les visites régulières de Thomas là-bas pour la trouver, a dit : *Est-ce que tu veux que je lui casse la gueule ?* Elle a eu un sourire. Elle n'acceptera pas mais les mots dans sa tête lui font un bien fou. Il y a une toute petite réalité dans la phrase de Flo, parce que si elle hochait la tête, si elle chuchotait, pour qu'on ne l'entende pas – oui –, cela arriverait. Flo irait. Elle lui donnerait l'adresse de Thomas, elle lui donnerait peut-être le double des clés qu'elle avait fait faire en cachette au début de leur histoire, pas pour les utiliser, pour les avoir, juste pour les avoir, si Thomas la quittait, pour se rassurer (elle ne s'en serait jamais servi). Flo irait oui.

Clémence en rêve. À côté de la peur, du chagrin, du vide – il y a toujours la colère, d'autant plus présente, d'autant plus pressante qu'elle est inaccessible. Alors pendant un instant, Clémence laisse aller son imagination, elle suit la silhouette de Flo le soir dans les rues de Paris, dans le hall du bel immeuble, chaque marche de l'escalier en bois habillé d'un velours rouge. La porte, au troisième étage sans ascenseur.

Derrière la porte, Thomas.

Flo sonne. À l'intérieur, la clé tourne pour déverrouiller la serrure, ça s'entrouvre.

Après, cela s'arrête. Clémence n'a plus le courage, plus le cran. C'est comme si Thomas était devant elle, comme si c'était elle qui appuyait sur la sonnette. C'est comme en vrai : sa vision se brouille, son cœur palpite. Thomas est intouchable. Pas en réalité, mais dans les pensées de Clémence, quelque chose se déclenche, un mur invisible une poussière paralysante qui le protègent, le gardent hors de portée des injures et des coups, c'est trop d'émotion, Clémence abandonne. L'image d'après, Flo marche dans la rue, s'en retourne. Il fait toujours nuit. Elle ne sait pas, ne saura jamais ce qui s'est passé entre le coup de sonnette et son départ. Elle ne peut qu'inventer. Tout est faux.

On dirait que.

On ferait comme si.

De temps en temps, quand elle était plus jeune, Clémence jouait au loto. Là aussi, elle faisait semblant : le jour précédant le tirage, elle comptait la somme qu'elle allait gagner, elle partageait, listait sur un bout de papier les noms des gens qu'elle aimait, à qui elle donnerait de quoi réaliser un rêve. Elle se voyait les invitant un à un pour un déjeuner, glissant vers eux une enveloppe dans laquelle tressaillait un chèque dont le montant était impossible, une surprise disait-elle, je n'y suis pour rien, c'est pour toi. Elle entendait, elle sentait dans ses nerfs et sur sa peau les sursauts, les stupeurs, les éclats de joie. Son ventre était noué d'un bonheur immense.

Et puis il y avait le tirage, et elle ne gagnait pas. Il y avait le tirage et ses espoirs redevenaient des illusions, s'effritaient, tombaient en poussière. Pendant une journée, elle avait remplacé la réalité par une chimère. Elle avait réussi à modifier, absolument, cette foutue réalité, avec tant de force : comme si c'était vrai.

Mais c'était faux. Elle mettait un genou à terre, le temps d'accuser le coup. Faire le dos rond, reprendre son souffle. Je recommencerai, se disait-elle. Ses mains tremblaient.

Avec Thomas, c'est la même chose. Un jour, elle y arrivera. À l'imaginer battu, rompu, écrasé. À l'oublier.

Pas maintenant. Maintenant, il est à la fois sa hantise et la seule chose de vivant en elle, quand tout le reste est anesthésié. Maintenant, il est encore trop fort pour qu'elle ose gagner : elle n'a même pas le courage d'imaginer que Flo pourrait —

Cette pensée-là fait trop peur. En cela, Clémence sait que Thomas la tient toujours. Elle a beau être partie, avoir coupé tous les ponts, elle a beau avoir un regard neuf — effrayé, horrifié, écœuré — sur ce qu'a été leur histoire, elle est en permanence au bord de revenir. Cela ne la quitte pas. Il y a des moments où tout lui paraît préférable à l'insupportable transparence, à la solitude et à la tristesse. Aux autres moments, elle s'épouvante elle-même, sa fragilité, sa lâcheté, elle ferait n'importe quoi et personne ne peut la retenir. Au fond, il faudrait quelque chose de total : que l'un d'eux, Thomas ou elle, disparaisse. Aucun retour possible. Aucune hésitation, aucune tentation insensée de retourner s'empêtrer dans des filets trop serrés.

Que Thomas disparaisse — l'idée est trop énorme. Alors elle ?

Cela aussi, Clémence y a pensé : ne plus exister. Si elle n'est plus là, Thomas ne pourra rien contre elle. Si elle meurt. Si elle s'échappe — pour de bon. Cela l'effraie mais ne s'en va pas, cela lui semble bien plus puissant que tout ce dont elle peut parler et tout ce qu'elle peut espérer, car parler n'empêche

187

pas la réalité d'advenir ; cela la cache l'espace d'une heure ou deux, un oubli, une parenthèse. Ce que fait Clémence quand elle raconte ces trois années à Flo ou à Gabriel : n'est que bavardage. N'est que mensonge, illusion, et illusion aussi les rires, les sourires de connivence entre eux. Le réel est toujours là, glaçant. Thomas est toujours là, et personne n'y peut rien.

Et ce n'est pas vrai que Clémence n'a jamais eu l'idée. Combien de fois elle en a rêvé, de lui faire du mal, quand elle vivait encore avec lui. Combien de fois elle a imaginé dans un frisson – qu'il mourait. Au début, il suffisait que dans ses pensées il y ait de la souffrance. Thomas poussé dans l'escalier, cogné contre un mur, frappé une fois deux fois dix fois, Thomas et le sang, les plaintes, voilà, elle voulait l'entendre pleurer, elle voulait qu'il supplie. Et puis cela n'a plus suffi : trop d'accumulation, trop de rancune. Trop de choses impardonnables et terrifiantes, et Manon qu'elle voyait en cachette, Manon répétait, *Mais quitte-le*.

Sauve-toi, tu sais que c'est la seule issue. Avant qu'il soit trop tard.

— et il était déjà trop tard.

De toute façon, Clémence n'y arrivait pas. Elle n'avait pas le cran. Elle n'avait que lui – avant Thomas, comment faisait-elle ? Mais cela, elle ne l'entendait plus. Elle avait les yeux fermés, les oreilles bouchées. La bouche close, pour cesser de dire ce qui se passait entre eux, pour ne pas laisser sortir les cris la nuit dans la forêt, aussi. Elle avait compris que crier, c'était pire. Elle deviendrait folle. Il fallait se taire. Il fallait attendre. La fin des crises, la fin des colères – la fin de la nuit. À chaque fin, dans le bel appartement ou au milieu des bois, les choses reprenaient leur place, la normalité, la banalité advenaient à nouveau. La vie quotidienne se réenclenchait. Voilà, Clémence ne savait faire que cela. Attendre.

Et quitter Thomas n'était pas la seule solution, n'était pas une solution suffisante. Il y avait donc l'idée de sa disparition, et objectivement, Clémence aurait pu trouver mille occasions de se débarrasser de lui. Sur le papier, c'est tellement simple de (oh non, elle n'arrivait même pas à prononcer le mot, même pas dans sa tête) : le tuer. Mais elle ne l'avait pas fait. Parce qu'il avait raison : elle était minable. Parce qu'elle était – normale. Le tuer, c'était impossible. Cela ne se faisait pas. C'était juste une soupape de sécurité, quand l'esprit convulsait. C'était en rêve, et cela n'adviendrait jamais. C'était pour les criminels, et elle était une fille ordinaire.

Et pourtant ce qu'il lui a fait à elle, est-ce que quelqu'un s'est demandé si c'était normal ? S'il avait le droit ? Et qui aurait pu croire Clémence – dans ces années de terreur, il n'y a jamais eu de blessures, de sang ou d'hématomes, ni de lésions, ni de marques, il n'y a jamais rien eu de visible. Tout s'est fait à l'intérieur, et cela, on ne peut pas le montrer, on ne peut pas porter plainte, on ne peut pas le prouver devant un tribunal. Une sorte de crime parfait. Après, c'est parole contre parole. Et encore une fois, qui la croirait, Clémence, avec ses traits creusés et son regard perdu, ses incohérences lorsque la peur est trop grande, qui parierait sur elle, quand en face il y a Thomas, si beau, si brillant, si adorable ? Thomas qui prend toute la place, tout l'oxygène – tout l'amour.

Elle est grande, Clémence. Elle n'avait qu'à partir.

Elle est partie.

Elle pense à Manon qui, la veille, a martelé au téléphone : *Clémence, tu l'as quitté maintenant. C'est fini, tu entends ? C'est fi-ni.*

Là aussi, un rêve. Ce ne sera jamais fini.

Sauf oui – alors mourir soi-même, est-ce que ce ne serait pas le plus facile ? Pour couper court. Clémence y a songé des dizaines de fois. Elle sait que les femmes comme elle y arrivent. Et heureusement : qu'elle est lâche, se dit-elle, sans quoi ce serait déjà fait. D'une certaine façon, elle comprend le geste de Colin. S'effacer du monde. S'apaiser. Du répit, enfin, ce n'est rien d'autre que cela, juste se reposer. Il y a des gens pour qui l'existence est

un trop grand défi. Ce n'est la faute de personne.
C'est comme ça.

— Vous n'avez pas le droit de dire cela, a rugi
Gabriel quand elle lui a murmuré.

— Je ne parle pas pour lui. Je parle pour moi.

— Clémence, il y a forcément quelque chose qui
pourrait vous faire changer d'avis quand vous êtes
dans cet état-là. Réfléchissez. Qu'est-ce qui pourrait
vous faire changer d'avis, à cet instant ?

Elle a réfléchi.

— Quelqu'un qui m'aime, je crois.

— Il y a forcément quelqu'un qui vous aime.
Clémence, il y a quelqu'un qui vous aime n'est-ce pas.

Elle l'a regardé. Elle n'a rien dit. C'était tellement triste dans ces yeux-là.

Alors il y a ces jours étranges qui ne peuvent être que de suspens, jours de consolation où rien n'est fait encore, que quelques pierres posées aux fondations d'un édifice fragile, des solitudes mêlées soudain, tout en délicatesse, Clémence se met à parler. Parle avec Gabriel, et parle avec Flo. Si différents. Flo, c'est la légèreté en même temps qu'une banalité rassurante, c'est un roc sans questions et peut-être sans profondeur, et peut-être est-ce cela qui plaît à Clémence, un flux de surface qui ne se perd pas dans les pensées, un garçon debout, plein d'un avenir si simple et si réconfortant, la seule chose qui compte pour lui, c'est d'avancer. Qu'importe que ce soient des pas de géant ou des pas de fourmi. Il met ses mains en œillères sur le visage de Clémence (*ne me touche pas*, gronde Clémence en silence), dit : *Tu vois quelque chose ?*

— Oui.

— Où ça ?

— Juste devant. Rien sur les côtés, évidemment.

— C'est bien. C'est l'essentiel. Devant. Le reste, on s'en fout.

Le reste, c'est Gabriel qui en parle, Gabriel qui, lui, ne sait pas être en surface – il faut que ça cherche, il faut que ça descende au fond de l'âme et des entrailles. L'atelier blanc et le jardin sont devenus leur refuge à Clémence et à lui. Les jours de beau, ils s'asseyent sur les chaises en métal au milieu de la pelouse ; les jours de pluie, ils respirent l'odeur du café et des livres enfermés, elle enlève ses chaussures pour ramener ses jambes sous elle, calée dans l'angle du canapé. Lui, s'adosse dans le fauteuil, la berce de ses questions, de ses impressions, se lève pour vérifier quelque chose sur l'ordinateur, virevoltant, brillant, il parle comme on écrit, gommant, raturant, revenant en arrière pour améliorer – l'histoire de Clémence ? Mais il n'y a rien de beau, rien de parfait dans cette histoire, pense-t-elle. Rien à sauver ? Parfois Gabriel somnole quelques instants, quelques minutes. Clémence ferme les yeux elle aussi. Fatigue. Elle a l'impression d'années de sommeil en retard. Peu à peu, Gabriel grignote la vérité. Tel un chien de sang, il renifle, fait des ronds, trouve la trace. Il s'approche. Il écoute la peur, la rancune. Et pourtant, Clémence lui échappe. D'un coup, son élan se coupe, par pudeur, par honte, il entend le souffle qui allait dire et qui se tait soudain, elle chuchote : Voilà.

Voilà, et le silence. C'est trop dur, ajoute-t-elle pour s'excuser.

Quand ils ne disent plus rien, elle observe Gabriel en coin. Elle regarde les photos de Colin sur les étagères. Elle trouve qu'ils se ressemblent.

Tous les trois.

Elle, son allure androgyne, garçonne, nerveuse : fait partie d'eux. Elle sait qu'elle aurait pu, elle pourrait – être le fils. Elle sait pourquoi Gabriel l'aide avec cette énergie démente. Elle est une réparation. Elle est une résurrection. Tout ceci est, une fois encore, mensonge. Mais s'ils sont d'accord pour y croire un moment, au fond.

Gabriel et sa façon de réfléchir, ses phrases lapidaires s'il ne les expliquait pas ensuite. Il vise toujours juste. Il voit toujours la vérité dans les dissimulations de Clémence.

Presque.

Elle garde en elle des résistances que même lui, avec ses fulgurances, ses certitudes, cette autre manière d'avancer – ne perçoit pas. Parce qu'il a raison : quelque part, Clémence est grande et forte. Plus grande et plus forte que lui, mais cela, il ne l'imagine pas, cela ne fait pas partie du champ des possibles. Et pourtant, quelque chose en lui le pressent. Est-ce qu'il n'a pas dit que le maître doit apprendre à l'élève à apprendre sans maître ? Est-ce que cela ne signifie pas que l'élève devient plus fort que le maître ? Oh il est bien loin encore, ce temps-là. D'abord il faut être grand et fort – tout court, tout le temps, autant qu'il le faut.

Quand vous serez grande et forte, alors, vous pourrez pardonner.

Quand on peut pardonner, on peut guérir.

— Oui, dit Clémence dans un souffle.

En vérité tout son être se braque en silence. En elle, il n'y a pas de pardon, il y a la colère. Devenir grande et forte, dans la tête de Clémence, ce n'est pas fait pour pardonner : c'est pour cogner. C'est pour gagner. Et pardonner, ah là là, excusez-moi mais – ce n'est pas gagner, car c'est se soumettre à l'humiliation qui ne s'arrête pas, consentir à sa propre faiblesse, c'est se laisser pisser dessus.

— Vous dites cela parce que vous n'êtes pas prête.

— Je n'ai rien dit.

— Vous pensez à voix haute.

— pardonner, cela ne fait pas partie des desseins de Clémence. Elle continue à écouter Gabriel, elle ne peut pas s'en empêcher. Juste, elle trie. Elle ne veut pas que la réparation s'arrête. Elle sent, au-dedans d'elle à l'intérieur, cette puissance cette lueur enfouies depuis trop longtemps et qu'il libère à coups de petites questions, petits mots, petites brèches. Elle entre chez lui comme elle arriverait à l'hôpital, avec hâte, avec espoir. Elle sait qu'en sortant, quelque chose ira mieux. Pas toujours : certaines fois, elle lui fait croire. Par lassitude. Par renoncement. Pour ne pas le blesser. La fois d'après, elle se rend compte qu'il le savait, et ils reprennent. Quoi ? Est-ce cela, une thérapie ? se demande Clémence, mais Gabriel n'est pas thérapeute. Il est chercheur, lui. Il travaille sur –

La nuit.

Quand il lui a dit, Clémence s'est pris le visage entre les mains. *Ce n'est pas vrai ?* Bien sûr que c'est vrai.

La nuit qui lui fait horreur, à Clémence. Pour lui, ce n'est qu'un objet d'étude. La nuit urbaine, et celle des forêts. Celle de la lumière et du bruit, de l'invention des réverbères – celle du silence. Celle des contes et celle réelle. Clémence dit : *J'ai peur de la nuit.*

Parce qu'elle est noire.

Parce qu'il s'y passe des choses.

Dans les nuits de Thomas, elle a perdu un morceau de son âme. Comme un morceau de gâteau. Mangée. Dévorée par quelqu'un d'autre. Qui me la rendra ?

Gabriel pose une main sur la sienne et lui sourit. La nuit n'est jamais la fin. Chaque fois, un nouveau jour se lève.

Et personne ne lui rendra rien, à Clémence, du moins est-ce ce qu'elle se dit, car elle le devine : ce qui lui manque, il lui faudra aller le chercher. Cela ne viendra pas tout seul. Il faudra le trouver, il faudra l'arracher. Sinon ce serait trop facile. Sinon ce serait déjà fini. Thomas a gardé une part d'elle-même, comme un bout de quelque chose qu'il tiendrait dans la gueule et qu'elle ne cesserait de convoiter – pas convoiter : c'est à elle cette chose-là, sa fierté, sa dignité, son être, elle ne le convoite pas, elle veut seulement le récupérer. C'est pour cela qu'elle se sent si fragile, toujours au bord de revenir à Thomas, sans comprendre pourquoi, on peut mettre des concepts là-dessus et cela n'enlève rien à la sensation de vide qui subsiste, Clémence peut toujours savoir qu'il ne faut pas revoir Thomas et sentir qu'il n'y a pas d'autre solution, si c'était aussi simple, hein.

Pour reprendre ce qu'il lui doit, comment fera-t-elle ?

— Vous trouverez, dit Gabriel. Mais laissez du temps au temps.

C'est bien faible, cette réponse.

Salaud, salaud.

Il fait trop beau, il fait trop chaud cet après-midi. Trop de différence avec ce qu'il y a à l'intérieur, un de ces jours qui donnent envie de tirer dans le soleil pour qu'il se désintègre, que les choses retrouvent un équilibre, noir dedans noir dehors. Clémence vise le ciel, ferme un œil. Dans sa ligne de mire, un éclat colossal. Elle murmure : *Pan.* Rien ne s'éteint. Elle n'a jamais réussi. Tant pis. Elle pense : *T'es bête. Aujourd'hui ?* Aujourd'hui, ce n'est pas si noir dedans. À cet instant, ça pourrait même bien être bleu comme le ciel : c'est suffisamment rare pour justifier qu'elle chasse tout ça de sa tête. *T'aurais l'air de quoi, si le soleil explosait un jour où ça va bien ?*

Avant de sortir son vélo pour aller faire des courses, Clémence épie la rue. Comme chaque fois, y compris à quatre heures du matin quand la ville dort presque entièrement. Une part d'elle persiste à croire qu'un jour, Thomas sera là à l'attendre. Un jour, il l'aura trouvée. Parce qu'elle est restée si près, comme si elle ne voulait pas complètement disparaître. Folie, n'est-ce pas. Elle sait que la moindre piste attirera le regard de Thomas aussi sûrement que si elle avait laissé son adresse en évidence sur un papier. Il est capable de faire le tour de toutes les boulangeries sur un rayon de cent kilomètres pour la trouver.

Mais il n'est pas là, et chaque vision de la rue sans lui est une minuscule victoire – une victoire sur Thomas ? Cela la fait partir d'un rire sans joie, elle en a connu mille, de ces triomphes qui n'en sont jamais. Comme ses promesses à lui : des pièges. Des tromperies. Des joies éclatées, piétinées, écrasées sous ses talons, comme cette boulangerie qu'il ne lui offrira pas. Et puis. Aujourd'hui, Clémence s'en fout, de la boulangerie de Thomas. Ce matin, entre cinq heures et six heures et demie, avant l'aube, elle en a créé une autre.

C'est en travaillant les pâtons avec Flo que c'est venu. C'est grâce à lui. À cause de lui : quand il a lâché une grille, ça a glissé, peut-être qu'il a trébuché, enfin – les pâtons sont tombés par terre. Fichus. S'ils les remettaient sur la grille pour les enfourner et que quelqu'un s'aperçoive de quelque chose, c'était grave, alors oui, vraiment, c'était foutu. Flo, ça lui a mis un coup. Ce genre de maladresse ne lui arrive jamais et a déclenché un mélange de colère et de désespoir, les cris devant les fours, *Putain, putain... !!*

— C'est rien, a dit Clémence gentiment. On va en refaire, on sera peut-être un peu à la bourre mais c'est tout, c'est juste de la farine, Flo.

— C'est pas juste de la farine. C'est un travail à la con dans une boulangerie à la con, et j'en peux plus !

— Oh. C'est quoi, ce coup de cafard ?

— J'en ai marre, Clem. Tu n'en as pas marre, toi, de ta vie à la con ?

— Ma vie à la con ?

Il a eu un large geste.

— Je sais pas, tout ça. Est-ce qu'on ne mérite pas mieux ?

Sa vie à la con. Cela résonnait si fort. C'était comme un écho brutal aux longues conversations avec Gabriel et jamais Gabriel ne l'aurait dit de cette façon, mais c'était cela, c'était absolument cela : Clémence et sa vie à la con.

Qu'est-ce que tu fais pour changer ?

Reproduire la même chose un peu plus loin, ce n'est pas changer.

— Tu as une meilleure idée ? a-t-elle murmuré.

Il a répété – *Je sais pas.*

Et puis :

— Au moins, ne plus être ici. Avoir ma boulangerie et une bonne raison de pourquoi je me crève tous les matins.

— Et alors ?

— Alors ?

— Pourquoi tu ne l'as pas, ta boulangerie ?

— Clémence, tu as cent cinquante mille euros devant toi ?

Elle a réfléchi.

— Non. Mais la moitié, avec un crédit, ça se pourrait.

Il y a eu un silence.

— C'est vrai ?

Elle a hoché la tête. Il a repris :

— Je ne plaisante pas, hein, je suis sérieux là. Tu irais ? On y va ?

— Avec des farines bio ?

— Avec des farines bio.

— Et un coin café ?

— Bon sang, a dit Flo. On refait la pâte et on y va.

Il a tendu la main. Elle a tapé dedans.

Les courses, cet après-midi, c'est pour fêter ce nouveau départ, pour lui donner corps, l'empêcher de se dissoudre parce que ce n'était qu'une idée en l'air. Pour la fête, Clémence est toute seule. Cela ne l'attriste pas. Elle veut seulement s'en souvenir autrement que par la petite croix inscrite sur son agenda avec les mots à côté : *discussion boulangerie/ Flo*. Si elle aimait le champagne – mais elle n'aime pas. Alors elle se décide pour un dessert, quelque chose qu'elle ne fait jamais, c'est l'excitation qui lui donne le goût du sucre, qui réclame de la douceur. Elle n'est pas très douée en cuisine, Clémence, elle a préféré acheter un gâteau dans une pâtisserie que tenter une recette elle-même, et puis il faut que ce soit tout de suite, elle n'a pas le temps d'attendre, pas le temps de préparer. Quand elle ouvre le carton sur le plan de travail en rentrant chez elle, cela lui paraît énorme. C'est plein de choux gonflés de crème, de caramel, de chocolat, d'amandes effilées, de biscuit sablé. Un gâteau pour quatre : tant pis, elle sera quatre. Elle rit en regardant cette drôle de pièce montée, on dirait une tarte aux profiteroles. C'est sa faiblesse, les profiteroles, quand elles sont bonnes, quand le chou est frais et fait maison et qu'il fond au moment où on l'écrase contre le palais. Un dessert que même les édentés pourraient manger tant il est moelleux. Clémence passe une main sur sa mâchoire, là où les implants ont été posés. Ce n'était pas la faute de Thomas. Enfin, pas vraiment. C'est elle qui.

A mis ce coup de tête trop fort, parce qu'elle avait peur.

N'importe qui aurait eu peur.

Ce n'est pas Thomas qui a cassé ces deux dents ; c'est elle, rien qu'elle. Elle ne s'en est pas aperçue tout de suite quand elle s'est cognée. Dans la panique, elle a cru que c'était de la terre qui avait roulé dans sa bouche, des petits cailloux. Elle a craché et c'était blanc. C'est là qu'elle a compris.

C'est pas grave, c'est que des dents. Ça se répare.

Clémence entame le gâteau avec fureur, comme si elle devait prouver qu'elle peut toujours mâcher, broyer, ça ne se voit pas les fausses dents, elles sont même plus solides que les anciennes et tant pis si elle n'a pas besoin de mastiquer beaucoup pour dévorer les choux – alors elle les mord et les avale, vite, de plus en plus vite, elle laisse la cuillère sur le côté du carton. Ce sont ses doigts qui enfournent, qui poussent, voilà, pas besoin de mâcher au bout du compte, ça descend tout seul, il est trop gros ce gâteau mais la faim est là, rageuse, il faut juste respirer entre deux bouchées. Clémence s'en met partout, elle a le visage d'un enfant trop jeune et trop gourmand, barbouillé de caramel et de crème. Elle s'essuie la joue du revers de la main et sur sa main cela poisse et cela colle. Elle sent que quelque chose coince dans son ventre. Boit un verre d'eau d'un trait, pour faire passer, et recommence, c'est bon la crème, c'est bon les choux, elle devine l'écœurement qui se fraie peu à peu un chemin dans son estomac, allons il faut terminer. Dans le carton, ce n'est pas joli ce qui reste du gâteau, des miettes et des morceaux agglutinés, empilés, elle les presse du bout des doigts, les ramasse, les engouffre.

La faim a déserté. Juste – finir.

La nausée, soudain.

Clémence a vomi dans l'évier de la cuisine, elle n'a pas eu le temps de courir aux toilettes. Elle s'est à demi étouffée dans le gâteau rendu, la respiration impossible à reprendre, le ventre qui tire dans des spasmes douloureux. Le dégoût, quand elle y pense. Elle est revenue dans le salon en s'essuyant la bouche avec un torchon. Par la baie vitrée, le petit chat la regardait. Jamais il ne s'était aventuré aussi près, mais ce n'était pas le moment, Clémence n'avait pas la tête à ça, pas l'humeur, et elle a crié à travers la vitre :

— T'en veux, le chat, de cette saleté de gâteau ?

L'animal a déguerpi au son de sa voix. Clémence a tapé contre la vitre pour le faire filer plus vite encore, elle l'a vu se couler sous le genévrier, sous les brindilles. Elle s'est laissée tomber sur une chaise, les jambes coupées, les yeux creusés sous la douleur de l'estomac. Envolées, la joie, l'excitation d'une vie qui recommence. Il faut reprendre son souffle et encore une fois, rien n'a changé. Il n'y a pas de place en elle pour la douceur. Cette boulangerie, Clémence n'en a pas la force. Elle s'est emballée sans réfléchir. Elle sait bien qu'elle n'a pas les épaules.

Le téléphone sonne.

Clémence tend le bras, tâtonne. C'est la nuit. Pas normal. Mais qui ? Elle ouvre les yeux, tout est noir. Seul l'écran du portable, qui fait mal à cause de la lumière trop vive.

Gabriel.

Elle lui a donné son numéro.

Deux heures quarante-quatre. Cela fait battre son cœur.

Allô.

Dans l'appareil, il y a sa voix grave. *La lumière est toujours allumée chez vous. Est-ce que tout va bien ?*

Elle, la respiration en suspens. C'est tout. C'est juste cela. Dieu.

Et personne n'y peut rien, à Clémence, à ses terreurs, à tout ce qui a été abîmé en elle. Ni Flo et son rêve de boulangerie, ni les clients et leur

bonjour qui s'adresse à tout le monde et à personne en entrant dans la boutique, leur bonjour qui
regarde les baguettes ou les croissants, déjà oublié,
déjà parti. Clémence sait que ni monsieur Kléber
et son chihuahua, ni madame Porte et son manteau
turquoise, ni Laura, Émilie et Valérie ne les voient,
Rémi, Flo et elle, derrière la buée et les reflets, ils
saluent des fantômes, des présences glissantes, des
gestes nourriciers – il n'y a plus de consolation.

Ni Manon, sa joyeuseté, sa constance à appeler
pour prendre des nouvelles – s'il fallait attendre que
Clémence en donne, elles seraient fâchées depuis
longtemps. Non, même Manon. Ni le petit chat
assis au bord du bassin, qui contemple sans bouger les poissons rouges et ne se laisse toujours pas
toucher.

Ni même Gabriel qui est pourtant le plus près de
sauver Clémence – il ne la lâche pas, il a l'impression de tenir à bout de bras la petite qui a dérapé
au bord du précipice. Seule la main de Gabriel fait
le lien entre Clémence et la vie. S'il la laisse glisser
un peu plus, elle tombera dans le vide. Il connaît
cet équilibre qui n'en est plus un, trop fragile pour
être davantage qu'un chancellement, c'est comme
si on lui demandait à lui, les soirs ivres morts, de
marcher sans dévier sur une ligne blanche – s'il se
rate, cela explose.

Impossible, sans quelqu'un qui vous tient.

Gabriel a de grandes mains osseuses veinées de bleu, la peau pâle. Des mains suffisantes. Parfois, il a l'impression que la petite pourrait s'y lover tout entière. Il refermerait les doigts autour d'elle et plus rien ne pourrait l'atteindre. Le temps qu'elle guérisse, le temps qu'elle reprenne vie. Il essaie de construire cet abri avec des mots, il occupe Clémence de ses bavardages et de ses sourires. Pendant un quart d'heure, pendant deux heures, elle oublie l'autre. Oublie la peur. Au moment où ils se quittent, Gabriel se dit que c'est toujours ça de gagné, alors il recommence. Depuis son atelier, il la hèle. Il l'appelle au téléphone. Il sonne à sa porte.

— Moi aussi j'ai du café, propose-t-elle un jour en prenant son élan.

— Du bon ?

— Franchement ?

— Oh – il a un geste exagéré d'enthousiasme : J'adore le mauvais café.

Elle lui montre son immense minuscule jardin, les arbres et les fleurs, le petit chat qui se cache et vient d'autant moins qu'elle est accompagnée (il ne s'enfuit plus cependant). Gabriel enveloppe, apaise, rassure. Il devient une habitude. Il devient une drogue.

— Tu as un amoureux ? a demandé Flo un matin à la boulangerie. Tu as changé, je trouve.

Clémence ferme les yeux une fraction de seconde, l'incompréhension, le désespoir. Comme si elle pouvait. Un *amoureux*.

Juste Gabriel.

Sa voix, ses coups de téléphone, sa présence dehors, tout contre la haie, ou à la sonnette de la petite maison : elle ne semble jamais surprise de le voir − seulement joyeuse. Il en rajoute, il surjoue, il cède à la tentation de croire qu'il est faiseur de petits moments de bonheur. Au fond de son regard, Clémence a trouvé la lueur dérangeante qui supplie de le laisser l'aider. Ils se tiennent l'un l'autre, se dit-elle, tels des équilibristes au point de rupture. Si l'un tombe, il emporte avec lui − c'est comme le premier domino que l'on bascule au début de la file et qui entraîne les suivants, tous les suivants, sans exception.

Ils scandent pour s'encourager, pour ne pas oublier. *Grande et forte*. En vrai, Clémence prononce : grand et fort. Gabriel, avec sa mauvaise oreille, n'entend pas la nuance, il n'entend pas que la petite partage avec lui le grandissement de quelque chose. Clémence arrive à convoquer Thomas dans ses pensées sans que son pouls s'emballe. Cela bat plus vite oui, cela fait du chaud, mais ce n'est plus l'affolement des jours où elle a débarqué ici. Aujourd'hui, sur une échelle de un à dix, imaginer Thomas ne représente plus qu'une émotion de sept. La première fois que Gabriel lui a demandé, c'était – dix.

La peur a régressé de trente pour cent et Gabriel a dessiné le schéma sur une feuille, qu'il a fait glisser vers Clémence. Clémence : mesure l'écart qui reste pour arriver à zéro. *Peut-être que vous ne l'atteindrez jamais*, a dit Gabriel. *Mais vous n'avez pas besoin d'être à zéro pour guérir.* Elle complète en silence, mécanique, répétitive : donc pour pardonner. Elle a posé son doigt sur le papier.

— Alors, à partir d'où est-ce que je suis grande et forte ?

Gabriel a secoué la tête. Elle insiste.

— Où ? À deux ? À trois ?

— Je ne sais pas. Cela dépend de vous.

— Il n'y a pas de réponse ?

— Il y a une réponse différente pour chaque personne.

Lentement, Clémence fait remonter son doigt sur la feuille. Sur le sept, elle s'arrête. Elle se tait. Il y a du bouillonnement dans son sang et dans ses veines. L'ongle accroché au papier, elle regarde Gabriel – son regard à lui, pénétrant, plongé dans le sien : il attend qu'elle réfléchisse à ce qu'il vient de lui dire. Elle, soudain, est déjà plus loin. La réponse est venue d'un coup, comme une gifle.

À sept, je suis déjà grande et forte.

Assez pour dépasser les pensées, pour rencontrer Thomas et lui tenir tête.

Assez ?

C'est à des signes minuscules que Clémence devine qu'elle se consolide. Thomas est toujours là en elle, mais la panique, elle, s'atténue peu à peu. Clémence s'habitue à une image et non plus à un homme ; s'habitue à ses contours qui, très lentement, se floutent dans sa mémoire. Thomas est – la comparaison lui fait froncer le nez – un membre amputé. Physiquement, il n'est plus là, même si tout en Clémence, de corps et d'esprit, perçoit sa présence. Comme un doigt coupé, comme un pied tranché, Thomas fait mal. C'est le cerveau qui n'a pas encore compris que –

C'est Clémence qui n'arrive pas à se défaire de lui, Clémence qui le cherche sans le dire, sans le savoir, avec cette impression affolante oui d'errer en quête de cette partie d'elle disparue qui continue pourtant à cogner. Elle sent les pulsations profondes en elle, elle se réveille parfois secouée de tressaillements, c'est Thomas qui est là, elle scrute l'obscurité vide – Thomas que quelque chose d'inconcevable persiste à faire exister au fond de ses entrailles et de sa tête. Cela fait moins peur mais c'est toujours là.

Il n'y a que le temps, a murmuré Gabriel encore une fois.

Seulement le temps, Clémence n'en a pas. Malgré l'apaisement de certains soirs, elle craint que cela la ramène en arrière. À l'usure. Parce que la dureté de chaque jour ne s'effiloche pas au gré des heures et des semaines : elle s'accumule. À un moment, ce sera trop. Il y aura cette tentation épuisée de croire que tout pourrait recommencer avec Thomas, que tout n'était pas si mal. Il faut que le temps s'accélère, il faut que ça coure. Sinon, elle ne répond de rien.

Il faut que ça guérisse.

À sept, c'est possible. Elle en est certaine. Elle ne le dit pas à Gabriel.

Gabriel a sonné et attend sur le pas de la porte de Clémence. C'est le lendemain, un lundi, elle ne travaille pas, elle a mal dormi. Cela se voit à ses cheveux ébouriffés, à ses yeux ouverts sur les cernes. Elle se frotte le visage pour se donner des couleurs. *Un peu de vie là-dedans*, pense-t-elle. Au moment où elle ouvre, Gabriel ne la regarde pas : Je suis pressé mais —

J'ai une chose à vous dire. Il s'arrête. *Merde. J'ai oublié.*

— Vous avez oublié ce que vous vouliez me dire ?

— Non.

Il met les mains devant lui comme s'il voulait l'empêcher de sortir.

Je reviens.

Elle sourit.

Gabriel.

Si sérieux, si profond – et puis si fantasque. Dans un roman, il serait le vieux savant cinglé et génial venu à l'aide d'une gamine trop fragile et trop mature. Ils seraient ce couple parfaitement mal assorti, improbable, Gabriel et sa façon fascinante d'enseigner la vie, de trouver des solutions, Clémence enfin capable de grandes choses : piloter un avion, inventer des plantes qui poussent sans eau, ou pour commencer peut-être – toucher le nez du petit chat. Parce que oui hier, dans son jardin, elle a touché le nez du chat. Presque par accident, après qu'il a sursauté à cause d'un grillon faufilé entre ses pattes, a heurté – à peine – la main de Clémence tendue depuis un quart d'heure (dans la main : un morceau de bœuf cru, un nerf qu'elle avait enlevé avant de cuire la viande, elle ne pourrait jamais avaler une bouchée avec un nerf dedans). Le chat a fait un bond de l'autre côté mais c'était fait, elle avait senti son museau humide sur sa peau, elle lui a dit – *Je t'ai eu*.

Dehors, ça sonne à nouveau.

Le petit chat n'a pas voulu s'approcher, après. Il n'est pas venu chercher le bout de viande.

Clémence ouvre la porte en souriant. Gabriel dit : *Je ne sais pas comment j'ai pu laisser ça... Enfin voilà*.

Il lui tend la feuille de papier de la veille. Il met son doigt là, juste là, sur le chiffre.

214

— À sept, vous n'êtes pas prête.

Clémence fronce les sourcils. Parfois elle a du mal à le suivre, du mal à revenir sur terre aussi vite et aussi fort que lui.

— Qui a dit que... ?

— Ne me prenez pas pour un con.

Elle ne sourit plus. Il secoue la tête.

— Vous ne me croyez pas ? insiste-t-il.

— Je ne sais pas.

— Vous êtes un petit soldat ridicule. C'est touchant mais c'est complètement fou de penser que – non, écoutez-moi : vous n'êtes pas prête.

Comment il a su, pour le sept.

Clémence baisse le nez, se tait. Gabriel soupire.

— Vous ne me croyez pas.

Silence, hein.

— Vous allez faire n'importe quoi. Vous allez trop vite, vous allez tout foutre en l'air. Tout ce travail, tous ces efforts, tous ces progrès – pour rien.

Son regard à elle : elle n'a pas pu empêcher la lueur d'orgueil, l'étincelle aussitôt réprimée. Gabriel a vu. Il est parti. Clémence finit son café froid, assise en tailleur sur le sol de la terrasse, elle met de la musique. L'horizon est bouché par les maisons et la haie de thuyas, le ciel brille en bleu aujourd'hui. Elle pense : c'est nul le ciel bleu.

Gabriel n'appelle pas. Gabriel ne sort pas. Clémence guette le jardin immobile pendant deux jours, deux immenses jours. Gabriel n'arrose pas. Il ne donne pas de prise. *Très bien*, se dit-elle. Assise sur la terrasse, elle croise les bras en contemplant les arbres. Elle aussi, elle sait faire la gueule. S'il croit qu'elle ira le chercher. Et donc –

Qu'elle s'excusera peut-être ?

C'est comme pardonner, tout ça. Un long aplatissement jour après jour.

Tiens. Pour ce qu'elle en a à foutre, de Gabriel.

Dedans, c'est tout vide et ça coule des petites larmes.

Mais finalement c'est elle qui gagne. C'est idiot, elle ne peut réprimer un sourire lorsque cet après-midi-là cela sonne à la porte. Il faut qu'elle le cache, Gabriel le prendrait mal. Et pourtant, il n'y a pas de moquerie, pas de mépris en elle. Juste gagné. Au fond de son ventre à Clémence, ça sautille comme au seuil d'une fête. En vrai : il lui a manqué. Cela ne rime à rien, ces bouderies d'écoliers. Ils n'ont plus douze ans. Alors Clémence ouvre la porte avec un sourire et ce sourire ne prête à aucune confusion, il est simplement heureux, radieux, très grand, pour lui.

Lui.

D'un coup, le sang s'est retiré des veines de Clémence.

Il est là.

Elle n'a même pas le réflexe de refermer en écrasant la main qu'il a posée sur le chambranle. Il dit : *Salut.*

Lui, Thomas.

Clémence a un mouvement de recul, la respiration coupée. Un cri, aussi. Il a un geste d'apaisement. *Hé.*

— Qu'est-ce que tu fais là ?

Une voix blanche – elle pensait que c'était une image, cette expression, mais en entendant les mots qui sortent à bout de souffle de sa gorge, ce son étouffé, presque atone, d'une neutralité effrayante, voilà à quoi cela ressemble, alors, une voix blanche : à demi morte, déjà vaincue. Son cœur s'est réveillé, bat dans tous les sens, incontrôlable. Ses bras, ses jambes : des choses inutiles, tétanisées. Un instant, elle pense qu'elle va tomber là, juste devant lui. Elle ne bouge pas. Ça tient.

Clémence, tu ne m'as pas laissé m'expliquer.

Elle ne l'écoute pas, Clémence. Elle lutte contre le bourdonnement qui a investi ses oreilles, le vrombissement comme si un avion passait dedans sa tête, le vertige qu'elle sent venir et qui lui fait tendre le bras pour s'appuyer au mur. Thomas avance d'un pas pour la soutenir – et c'est ce qui la sauve, soudain, c'est ce qui secoue son corps telle une décharge électrique, elle se dégage et crie :

— Non !

Elle frappe devant elle, dans l'air, assez pour l'obliger à reculer. Il rit un peu, amusé ou condescendant, *Clémence, regarde-toi*. Elle, la seule chose qu'elle voit : lui devant elle, comme dans un film abîmé, des images hachées, floues, des sons qu'elle n'arrive plus à entendre. Sur le meuble de l'entrée, elle devine le couteau de cuisine qui lui a servi à couper le scotch d'un carton de livraison, elle l'attrape. Fait de grands moulinets, et Thomas ne sourit plus, il recule encore, elle braille maintenant : *Dehors ! Dehors !!*

— Clémence, calme-toi.

— Va-t'en !

— Il faut qu'on parle. Il faut que tu te calmes, tu es à vif, là.

— J'ai rien à dire, rien !

— Clémence, reviens. J'essaie de t'oublier et ça ne marche pas. On part en week-end, on se pose, on discute, on est capables de ça, non ?

— Dans ta maison de merde ? Dans ta forêt de merde ? Et puis quoi ?

— Non, je te promets.

Et d'un coup, Clémence se rend compte : malgré elle, elle l'écoute. Se rend compte : il va l'avoir. À l'usure, à la ruse, comme chacune des fois que

Gabriel a décortiquées avec elle, parce qu'elle n'arrive pas à couper court, parce qu'elle entre dans son jeu, là où il est le plus fort – mais cette fois, elle le sait. Elle se souvient. Il va la retourner si elle lui laisse du temps, il va insinuer ce doute et cette émotion en elle, trouver les mots qui l'arrêteront, se frayer un chemin jusqu'à l'intérieur de son crâne. Il va – le mot l'épouvante – la reprendre. Alors elle se jette dans un rugissement, qu'importe ce qui arrivera, il faut qu'il s'en aille, il faut qu'il comprenne qu'elle est hors d'atteinte, trop forte ou – trop folle, elle se lance, lance son bras, oui à ce moment, elle le sent, la raison la déserte.

Un cri. Un cri, et ce n'est pas le sien.

La lame a atteint Thomas sur la main qu'il a levée pour se protéger, du sang coule.

— Putain, mais tu es malade !

Réponds pas, Clémence, dis rien – et elle avance à nouveau, couteau devant elle, sa respiration gronde comme une bête, et plus elle avance, plus Thomas s'en va, elle le repousse jusqu'au muret, jusqu'au portillon, déchire l'air entre eux avec l'acier qui brille au soleil, elle entend les derniers mots,

— T'es dingue ! T'es complètement malade !

Et puis Thomas est parti en serrant sa main dans un mouchoir, Clémence est seule, le couteau par terre, qu'elle abandonne. Elle court dans son jardin, tremblant de la tête aux pieds, elle court,

219

une nouvelle fois elle force le passage de la haie de thuyas, elle est chez Gabriel, s'écroule contre la baie fermée de l'atelier et reste là, recroquevillée le long de la vitre, les bras par-dessus le visage pour ne plus voir le monde, elle sanglote, elle attend.

Lorsque Gabriel rentre en milieu d'après-midi, il croit d'abord que c'est une bâche qui a volé là contre la vitre, une bâche ou un tas de quelque chose, peut-être un manteau qu'il aurait oublié dehors, un sac de terreau vide culbuté par l'air. Il fronce les sourcils, s'approche. Les bâches sont rangées il le sait, et il n'y a pas de manteau perdu, pas de vent, pas de courant d'air. Alors il la reconnaît. Le coup dans la poitrine, fort – il se précipite pour ouvrir la baie. Clémence se renverse à l'intérieur. Il veut demander ce qui s'est passé, faire un geste vers elle, et tout se suspend soudain : jamais il n'a vu un tel effroi sur un visage, jamais il n'a vu un être ramper pour s'éloigner telle une bête étrange, se couler au fond de son atelier, agripper le canapé et y monter et cela, ce qu'il regarde immobile, incapable du moindre mot, cela n'est pas humain. Il a la sensation dérangeante d'observer un reptile, ou

221

un insecte, ou un être brisé ou mal formé, sans oser le toucher, il a un mouvement de recul comme devant une chose repoussante. Et puis il entend les pleurs étouffés et Clémence réapparaît dans son regard, il la rejoint, elle, cette forme enroulée et tremblante, il s'assied à côté d'elle. Il sait déjà que Thomas est revenu.

Pour Thomas, les nuits au fond de la forêt, c'était un jeu. Clémence ne l'a jamais vécu de cette façon, mais là où elle sait que c'était malgré tout un jeu, au moins un peu : il y avait un gagnant et un perdant. Elle gagnait si elle tenait trois heures sans se faire prendre. S'il l'attrapait avant, elle avait perdu.

Qu'est-ce qu'elle en avait à foutre, hein, de gagner ?

Quand le jeu était devenu un rituel, chaque week-end qu'ils étaient dans la grande maison de campagne, quand il y avait eu trois ou quatre ou dix fois déjà, et qu'elle avait compris que ce serait chaque fois, elle avait refusé. Elle s'était insurgée. Courir dans la nuit en crevant de peur, juste pour lui faire plaisir – *J'aime pas*. Il l'avait obligée. Alors, elle avait gâché la partie. La nuit suivante, au moment où il l'avait lâchée dans les bois pour compter l'avance qu'il lui donnait, elle n'était pas partie. Elle était restée immobile près de lui.

Il avait crié : *Cours !*

Pas couru.

Il avait gueulé : *Dégage !*

Pas bougé.

Il l'avait poussée, il l'avait traînée par le bras jusqu'au bord de la clairière, elle à terre, inerte, elle aurait pu être morte.

Va !

Mais – pas aller.

C'est là qu'il avait annoncé les autres règles. C'est à ce moment-là qu'il avait rugi qu'il y aurait un gagnant et un perdant, toujours, et que le perdant : aurait un gage.

Tu vois, Clémence, un gage comme à la chasse, parce que c'est un jeu de chasse, tout ça, tu sais bien. Et tu sais ce qui se passe pour celui qui perd, à la chasse ?

Il meurt.

Pan.

Mort.

Tu vas mourir, Clémence.

Mou-rir.

Il l'avait emmenée. Quelque part dans les bois, qu'elle ne reconnaissait toujours pas. Quelque part entre des arbres, là où il y avait un peu moins d'arbres, à cause des racines, mais toujours à couvert, la lumière de la lune passait à peine.

Des arbres, et un trou dans le sol.

Clémence se souvenait de l'alarme, soudain, carillonnant dans sa tête.

Un trou de la taille d'un tombeau. Dans le trou, une caisse en bois avec un couvercle levé – une caisse en bois pour ne pas dire un cercueil, parce que ce n'était pas envisageable, pas imaginable un cercueil.

Allonge-toi.

Elle avait reculé en secouant la tête, une décharge d'adrénaline, elle avait crié qu'il était fou – *Allonge-toi Clémence !* Ils s'étaient battus, elle se rappelait avec une acuité terrifiante leurs corps emmêlés, le souffle rauque et ravi de Thomas contre elle, elle avait senti son ivresse de la maîtriser sous lui, de la tirer centimètre après centimètre vers le trou, inéluctablement, le bord de la caisse lui avait râpé le dos et les côtes. Soudain, elle avait basculé à l'intérieur, Thomas avait essayé de rabattre le couvercle sur elle, sur son visage qui ne voulait pas descendre – c'est là que le bois avait heurté sa tête et sa mâchoire avec une telle violence que le choc lui avait cassé deux dents. Après, il y avait eu les mains qu'elle accrochait partout où elle pouvait, Thomas lui avait hurlé de les enlever, qu'il lui fracasserait les doigts l'un après l'autre si elle les laissait, mais quand on commence à mourir qu'est-ce que c'est que dix doigts, au fond. Il avait fini par cogner sur elle, pour qu'elle se protège le visage, elle avait lâché les montants en bois et mis ses mains sur sa tête, elle avait entendu le bruit de la caisse se fermant sur elle, le cliquètement d'un cadenas, elle avait mugi – *Non, Thomas, Thomas !*

Les bras arqués sur le couvercle qui ne bougeait pas.

Je t'en supplie.

Un son mat, granuleux. De la terre qu'on jette.

Clémence avait été prise d'une crise de panique, trop noir, trop fermé, le bois contre les os de son crâne quand elle donnait des à-coups, et elle criait sans relâche, *Je vais mourir, je vais mourir !*, dans des cris stridents qui lui vrillaient les oreilles, elle l'imaginait, lui, au-dessus, qui l'enterrait pelletée après pelletée, elle n'entendait plus la terre s'accumuler, que la voix de Thomas qui chantait pour couvrir ses hurlements, de plus en plus fort, et elle son cœur en épouvante qui pulsait à lui éclater les veines et les yeux et la gorge, elle avait senti que sa raison s'envolait, que son corps était hors de contrôle, elle avait compris que –

Le noir, le silence, fini tout ça.

Elle ne saurait jamais au bout de combien de temps Thomas l'avait délivrée. Elle s'était évanouie, quelque chose avait coupé le fil de sa conscience, peut-être pour ne pas devenir complètement folle, peut-être pour ne pas voir ce qui arrivait. Absente. Et ce n'était pas vrai qu'à ce moment-là on se dédoublait et qu'un morceau de soi regardait la scène, flottant haut dans l'espace. Ce n'était pas vrai que la vie défilait tel un film trop rapide, et qu'il y avait une lumière au fond.

Il n'y avait rien.

Que la peur.

Et même, la peur, cela ne voulait rien dire à côté de la terreur qui avait pris possession de Clémence là sous la terre, les mots n'existaient pas pour parler de ce qui s'était passé dans le cercueil, tout ce qu'elle pouvait dire était trop petit, trop gentil, la réalité avait été immense et – non, elle n'avait jamais trouvé de mots pour exprimer la glace qui l'avait saisie au moment où oui, elle était morte.

Mon petit chat, je suis là, ne t'inquiète pas.

La chambre, le lit, la lumière basse. Thomas assis près d'elle, le visage inquiet.

Qu'est-ce qui s'est passé, mon petit chat, j'ai cru que j'allais te perdre – je t'ai ramenée ici, tu es en sécurité, oh je suis heureux que tu te réveilles.

Et elle, sidérée, encore sous le choc, elle avait fait quoi ? Elle l'avait repoussé, elle s'était enfuie à toutes jambes, elle lui avait fracassé la tête avec la pince à feu, cette conne ? Non, oh non, non : elle s'était jetée dans ses bras. Un réflexe insensé, après la terreur – elle se serait raccrochée à n'importe quoi, elle était vivante, voilà, vivante ! Et insidieusement,

Thomas l'avait dit : c'est lui qui l'avait sauvée. Lui qui avait enlevé la terre en catastrophe lorsque la voix s'était tue, lui qui avait ouvert le cercueil, qui avait porté Clémence inconsciente pour la soigner à la maison. Lui qui pleurait contre elle à cet instant-là, et elle aurait acquiescé à tout, lui qui murmurait en sanglotant dans ses cheveux – *Tu vois, il ne faut pas perdre, mon petit chat, si tu perds tu vois ce qui arrive.*

Alors oui, courir, elle avait appris, pour que plus jamais –

Courir pour échapper à Thomas, elle ne pouvait plus, elle ne voulait plus.

La peur est revenue. Dans l'atelier baigné de soleil, Gabriel a mis des heures à calmer la petite. Lui aussi, il l'a prise dans ses bras, les yeux écarquillés par le récit qu'elle venait de faire, par l'effroyable poursuite. Il a essayé d'arrêter les convulsions sans plus vraiment savoir si c'étaient celles de la môme ou les siennes, il a murmuré des phrases dont il ne se souvient pas, attendu, attendu que ça ne tremble plus. Il a entendu les mots – salaud. Salaud – il les a murmurés avec elle.

Comment je vais faire, je suis toute seule, je n'ai pas de force, il reviendra, comment je vais faire.

Et cela ne sert à rien que Gabriel promette que ce n'est pas vrai, que Clémence n'est pas seule et que Thomas ne reviendra pas, puisque vraiment, quand on y regarde – à ce moment-là, Gabriel ne compte pas, sa présence est un leurre. À cet instant, ce qu'il faut à Clémence, c'est un roc, un rempart, c'est un garçon tatoué avec des muscles qui font mal, qui empêchera Thomas de revenir ; ce qu'il faut à Clémence, c'est une armée, un gilet pare-balles, et elle y pense en cessant d'écouter Gabriel et ses paroles apaisantes, Gabriel et cette logique envers et contre tout, Gabriel qui ne sait pas ce qu'est Thomas, qui ne sait pas qu'on ne peut pas réfléchir avec lui comme on réfléchit avec un être ordinaire. Thomas, c'est : avoir une bête en face de soi. Pour s'en sortir, Clémence doit parler le même langage. Pas humain. Pas rationnel. Hors normes.

Devenir comme lui.

Elle se souvient de l'alerte de Gabriel, un jour où elle l'avait déjà dit : est-ce cela qu'elle veut vraiment, devenir comme Thomas ? Mais ce n'est pas la question qu'elle s'est posée, elle. La vraie question – est-ce qu'elle peut.

Là tout de suite, non, mille fois non. Là tout de suite, avec ses bras qui n'ont plus la force de porter ses mains, ses yeux enfoncés au fond du crâne à croire que l'on voit battre les nerfs, derrière, là où ça cogne et ça brûle et il faut fermer les paupières pour soulager la tension, soulager quelque chose n'importe quoi, un peu, rien qu'un peu. Dans la tête de Clémence, une fois encore, il n'y a que Thomas. La peur de Thomas, la haine de Thomas, l'emprise de Thomas. Son absence est presque pire que sa présence, volatile, insaisissable, permanente.

Cette possession d'elle ne requiert pas qu'il soit là. Il suffit d'avoir été, et la pensée lui revient, *le mal est fait.* Sans retour, sans espoir. S'en sortir, c'est juste trouver des artifices. Il lui reste quoi, Clémence, cinquante ans à vivre ? Cinquante ans ça n'est pas possible. Elle en crèvera avant et Thomas a raison : il aura gagné, parce qu'il gagne toujours. Un argument imparable, immense. Que peuvent les gens comme Clémence et Gabriel face à cela, la certitude d'imposer sa loi, sa volonté, sa vision des choses, parce qu'on a décrété que *c'était comme ça* ? Les mots de Thomas sont un mur infranchissable, des noyades, des fureurs. Contre ces mots-là, il n'y a pas de remède et pas d'issue.

Pourtant Clémence était sûre que.

C'était là, tout près, à lui frôler les doigts. Ce n'est pas vrai que c'était trop tôt, qu'elle n'était pas capable de se heurter à Thomas. Simplement elle n'avait pas prévu que ce serait si violent. Elle ne s'attendait pas à ce que – en ouvrant la porte, ce soit lui, lui chez elle, et tout ce que cela signifie, qu'il a fini par la trouver, qu'il pourra revenir mille fois. Trop d'émotion. Trop de surprise. Le coup du sort, le coup de malchance. Clémence connaît bien la malchance. La poisse, elle dirait. Quand on l'a au bout des pieds. Quand on l'a au cul, se moquait Thomas. Et la poisse, c'est comme la chance : la plupart du temps, il faut quelqu'un pour l'aider. Un petit coup de pouce à la crasse, hein.

Et c'est terrible, ce doute-là.

Que les choses ne se font pas toutes seules.

Ce doute qui lui fait tourner la tête vers Gabriel, enfin.

— Vous l'aviez dit. Vous aviez dit qu'à sept, je n'étais pas prête.

Elle le regarde droit dans les yeux. Il y a encore la brillance des larmes, mais la fragilité a disparu. La seule chose qui persiste – une dureté qu'il n'attendait pas, quelque chose d'impossible chez la petite croyait-il. Quand elle voit qu'elle le tient au fond de ses prunelles, elle dit :

— Est-ce que c'est vous qui l'avez amené là, pour me prouver que j'avais tort ?

Et jusqu'au bout, elle gardera cette incertitude. Bien sûr que Gabriel a ouvert des yeux incrédules, secoué la tête et murmuré que jamais, comment peut-elle le penser, et de toute façon il ne connaît pas Thomas. À d'autres : un homme comme lui est capable de trouver n'importe qui, n'importe où. Il suffit d'une trace. Une piste. Il suffit de le lancer à la poursuite. Pourquoi ? Pour faire comprendre à Clémence que lui aussi a toujours raison ? C'est tellement insensé. Mais le doute, c'est comme ça. Ça s'insinue en vous, ça vous ronge quelque chose dans un coin du cerveau, et vous avez beau savoir que c'est stupide, que c'est impossible, que c'est une erreur : c'est là. La seule chose à faire pour s'en débarrasser, c'est de le transformer en certitude. Qu'importe que ce soit un mensonge, pourvu que cela s'arrête – pense Clémence en observant Gabriel du coin de l'œil.

— C'était vous, dit-elle.

Gabriel la regarde comme on regarde une folle.

— Comment pouvez-vous dire ça.

Elle le martèle à voix basse. *C'était vous.*

Il s'agace. Alors il explique, il conteste, il démontre. Il est furieux.

— C'est ridicule, gronde-t-il.

— C'était vous.

— Bon sang !

Il a crié, Clémence a tressailli. Juste tressailli. Pas sursauté, pas bondi. Elle comprend en même temps qu'elle se bute – elle a trouvé une faille en Gabriel. Elle se venge sur lui de son échec avec Thomas, voudrait s'excuser d'être si mauvaise, si méchante, mais il y a cette brèche soudain, qu'elle ne peut pas s'empêcher d'explorer, cette puissance au fond d'elle face à la perplexité de Gabriel. Elle avance, elle dit : *Pourquoi ?*

— Pourquoi quoi ?

— Pourquoi vous avez fait ça.

— Mais je n'ai pas fait ça !

— C'est à cause du sept, c'est ça ?

— Merde, Clémence !

Il est debout. Il est grand, sombre, il est beau et Clémence se lève aussi sous l'élan qui la galvanise, c'est comme un jeu, échec et mat, elle part, elle passe la porte, elle pointe un doigt vers lui. Un doigt qui dit : *comment vous avez pu faire ça.* Pourtant elle se tait, Clémence. Elle fuit. Une fuite calculée, rapide, qui n'autorise plus de mots, elle entend la voix de Gabriel qui l'appelle, elle ne se retourne pas, elle court chez elle.

Il croit qu'elle pleure.

Elle, ses yeux exorbités quand elle referme la porte de sa maison sur elle. Alors, c'est cela. La jubilation, la force, le piège. Tout s'éclaire d'un coup. Il n'y a pas de vérité qui tienne : la seule réalité est celle que l'on construit, que l'on invente, à coups d'idées et de regards, de paroles, de gestes, mais aussi à coups de mensonges. Oui, la réalité peut n'être qu'un énorme mensonge. Il n'y a qu'à y croire. Il n'y a qu'à obliger à y croire. Il n'y a qu'à –

Rendre l'autre fou.

C'est en cela que Thomas est un orfèvre.

Et est-ce qu'il pouvait en être autrement, au fond ? Est-ce que les choses pouvaient tourner différemment de ce qui se passerait alors, car c'est toujours ainsi, les choses s'enchaînent par paquets, il n'y a pas de demi-mesures, une fois que c'est enclenché, tout y va. Et ce n'étaient pas seulement les pâtes qui avaient brûlé parce que Clémence avait la tête ailleurs, ces pâtes qu'elle avait tout bien faites, pas une poignée de nouilles jetées dans l'eau et mangées du bout des lèvres avec du sel et un peu de beurre, non. Dans une poêle, elle avait saisi des échalotes coupées en très petits morceaux, avait ajouté, une fois qu'elles étaient caramélisées, des lardons, du sel, du poivre. Elle avait baissé le feu. La crème fraîche, en se mélangeant, avait pris la couleur dorée du gril. Un peu plus de crème fraîche. Il fallait que cela déborde de crème fraîche. Pour ce qu'elle s'en fichait : dans le miroir, chaque soir avant de se doucher, elle regardait ses os saillant sous la peau, les acromions qui faisaient deux petites crêtes en haut des épaules, la ligne tendue des clavicules, ce drôle de point au milieu du sternum. Ensuite il y avait le dessin des côtes, le creux dessous. L'articulation des coudes, plus grosse que la chair de ses bras. Alors vraiment, la crème, elle pouvait en mettre. Elle avait versé les pâtes dans la poêle. Cela ne ressemblait à rien mais elle adorait les patouilles, le riz qui colle, les nouilles trop cuites, le pain trop blanc. Et puis elle avait repensé à la dispute avec Gabriel. Et puis les pâtes avaient cramé, elle était juste devant, la cuillère en bois dans la main. Pas vu. Pas eu l'idée. Juste l'odeur, soudain. Elle avait grignoté ce qui pouvait être sauvé. Le reste à la poubelle.

Ce n'était pas non plus le temps qui s'accélérait, le dossier que Flo lui avait donné la veille – une enveloppe avec leurs documents bancaires, avec des photos du local pour lequel il avait eu un coup de foudre à cause du minuscule patio sur le côté, des chiffres, des lignes, elle le connaissait par cœur ce dossier, pour la trouille que cela lui faisait et jamais elle n'avait osé dire à Flo qu'elle n'y arriverait pas, qu'elle n'était pas à la hauteur ; et cela lui avait donné des palpitations de voir que tout avançait malgré elle, qu'une fois encore elle était au bord de changer quelque chose, et cette fois c'était bien, elle ne devait pas reculer, elle devait penser à l'excitation plutôt qu'à la peur. Bien sûr qu'il y avait la peur, il n'y avait que ça lui semblait-il. Mais c'était aussi l'aventure, c'était l'avenir. Flo chantonnait toute la journée, joyeux, impatient derrière les fours, il inventait des étiquettes pour les pains, *On va leur donner des petits noms à tous*, avait-il dit, *on va créer un code entre les clients et nous, ça sera le Figuier, l'Abricot-Brioche, le Raisin-Noisette, le Comté-Lardons, plus compliqué : le Terroir, le Doux, le Noir – Ils ne s'en souviendront pas*, s'alarmait Clémence, c'est pas grave, cela les amusera de chercher, et nous de les aider. Et le temps passait presque trop vite, c'était confortable de travailler là où ils étaient, ils ne géraient pas de stocks, ne prévoyaient pas de livraisons, ne faisaient pas les comptes ni les fiches de paie, les jours de mauvaise vente, ils ne se disaient pas : *On s'est plantés*. C'était toujours pareil, il y avait des projets, avec les projets il y avait des risques, et les risques rendaient Clémence nerveuse. Les nerfs – sa fragilité.

Enfin ce n'était même pas le petit chat qui soudain fut assis un soir au seuil de la baie entrouverte, qui ne se laissa pas toucher mais resta longtemps à côté de Clémence, et sans doute Clémence n'était-elle pas assez sereine ou rassurante pour un petit chat, Gabriel avait raison, à sept, ce n'était pas assez. Seulement Clémence n'était plus à sept. Elle arrivait à six, se disait-elle, depuis le jour de la grande peur quand elle avait ouvert la porte sur Thomas, depuis l'incident avec Gabriel qui lui avait permis de comprendre tant de choses, Gabriel qui n'avait pas donné de nouvelles, c'était trois jours auparavant.

Mais cela ne pouvait pas être autrement et ce serait à onze heures du quatrième jour, au moment où Clémence termine sa journée à la boulangerie et que Manon lui dit encore parfois en riant – *Onze heures ! Veinarde !* Flo est déjà parti, il a rendez-vous à la banque. Il a pris un quart d'heure sur son horaire, le patron a tiqué et a fini par accepter. Rémi a hoché la tête : dans son ancien boulot, quand il s'est marié, on lui a refusé sa journée de congé et il a dû se déclarer malade pour être présent à l'église et à la mairie.

Avant de partir, Clémence prend un café en regardant machinalement les clients derrière la vitre. C'est l'heure des étudiants en retard et des petits vieux. Dans la rue, le chihuahua de monsieur Kléber braille en essayant de dévorer sa laisse enroulée au réverbère. Cathie l'observe de loin et sourit à son maître : *Il est mignon hein*. Dans la file d'attente, madame Porte laisse échapper un petit rire. Cathie, toujours un mot gentil, le mot qui fait que tout le monde l'aime. *Quand je serai grande, je serai comme ça*, pense Clémence. Et puis : qu'elle est déjà grande. C'est trop tard, tout ça. Ou alors, pour les cinquante ans qui restent, se moque-t-elle en silence. Si elle devenait une Cathie. Elle rince sa tasse. Il doit y avoir une question de nature, elle ne sera jamais comme Cathie. Et si ça se trouve, elle n'est pas vraiment grande.

Alors, c'est là que cela arrive. Dans la rue, au moment où Clémence sort. Elle s'en doutait. Elle l'attendait. Mais pas aujourd'hui : elle s'était dit que ce serait juste après l'altercation chez elle. En trois jours et demi, sa vigilance a eu le temps de retomber. Le coup au cœur, c'est pour ça. Et les battements à l'intérieur, trop vite, qui lui coupent la respiration malgré tout ce qu'elle s'était promis, le calme, le souffle, lentement. Ça fait quand même un choc. Plus que cela, ça lui flanque littéralement la trouille, ce sont ses mots à elle. Elle pense : *Tu le savais.* Elle avance. Elle murmure, *Merde. Merde,* elle tourne la tête, elle observe les fissures sur le trottoir. À sept ou huit mètres devant elle, Thomas ne bouge pas.

Quand elle passe en le contournant, il lui barre le passage.

Regarde-le dans les yeux.

Elle le regarde.

Il dit : *Clémence.*

— Quoi.

Ça serait bien que les palpitations ralentissent.

238

— On n'a toujours pas réussi à parler.

— Je n'ai rien à dire. C'est fini, c'est tout.

Il y a ces secondes infinies. Pour une fois, Thomas est silencieux. Clémence attend. Elle n'aime pas ce temps en suspens. Elle pense que tout pourrait arriver, là maintenant sur le trottoir. Même un tour de passe-passe, un coup de baguette et ils disparaîtraient elle et lui – pourvu qu'elle ne se retrouve pas coincée avec lui quelque part.

C'est à cause de l'attente hein. Clémence sent que ça se délite à l'intérieur. Ça se met à trembler, sa voix qui ne dit rien ses mains qu'elle cache dans ses poches. Le cœur repart de plus belle. Il faut filer, elle en est sûre. Un pas. De côté, pour éviter Thomas. Il met une main sur son bras, elle se dégage, le regarde.

Thomas, son visage en larmes, ses yeux qui brillent d'une tristesse infinie que même ces putains de cockers n'arrivent pas à refléter. Non, pas lui. Pas toi. Clémence répète – *C'est fini* – et c'est tellement misérable de dire cela, c'est tellement pour se convaincre, avec tellement la voix qui chavire. Il lui prend la main et elle recule brusquement.

— Non !

Thomas, mon amour.

Non, non.

Cette fois il ne l'a pas lâchée, il a gardé la main sur elle, l'accompagnant dans son geste de fuite comme un nageur sur une vague qui reflue, comme un couple de patineurs qui s'élance et virevolte et jamais ne se quitte. Entre Clémence et Thomas il y a ce fil invisible, cet élastique maudit qui la ramène à lui, il suffit qu'il soit là, il suffit qu'il ne soit même pas là. *C'est pas vrai* – Clémence avec cet élan de désespoir, cette sidération parce que rien n'est coupé et rien n'est fini, elle pense à la blessure qu'elle a faite à Thomas avec le couteau, veut demander si c'est guéri et se mord les lèvres, mais tais-toi donc, s'il avait pu crever, et elle rit entre ses larmes qui coulent elles aussi, crever avec une égratignure de couteau de cuisine, vraiment. Thomas s'est approché encore, elle ne l'a pas vu venir. Soudain, elle est dans ses bras. Dans ses mains. Contre lui. Avec des frissons partout, la sensation dérangeante d'être en danger en même temps qu'à la bonne place, exactement. Au-dedans d'elle, un abîme et une fête, l'affolement et l'exultation à la fois, cela fait un mélange absurde, une sorte de danse joyeuse à l'instant de replonger en enfer. Elle le sait : elle y va. Elle suit Thomas sans réserve. Il y a quelque chose de l'ordre d'un immense soulagement à céder enfin, revenir à avant, mille pas en arrière, abandonner. Quand la poursuite est trop dure, l'achèvement, quelle qu'en soit la forme, est une rémission. Trop de fatigue, trop d'inconnu, trop de choses qui auraient dû être mieux qu'elles n'arrivent – alors, Clémence peut bien se rendre, tout contre Thomas, les mains sur sa poitrine les yeux fermés. Et ce sont ces mots-là qui la font s'arracher d'un coup : *contre lui*, tout *contre lui*. Dans un éclair, elle comprend. Pas avec lui.

Contre.

Elle gronde, un feulement de bête, bas, rauque – *Non*. Elle recule. Elle se débat, il la tient encore. Elle crie.

— Non !

— Clémence.

— Il faut que tu me laisses.

— Clémence, viens, on va s'asseoir quelque part pour discuter.

Tu le sais hein, que si on s'assied quelque part pour discuter, tu vas gagner ?

— Non, non !

— Clémence je t'en supplie.

— Merde, Thomas, laisse-moi ! Laisse-moi !

Elle essaie de se dégager, en vain. Il sait que tant qu'il la tient – tant qu'il la touche, il y a cette réminiscence des corps, cette force qui écrase Clémence peu à peu, elle le sent, qu'elle lâche lentement, ses cris moins forts, moins sûrs, les yeux mouillés de Thomas qui murmure : *Je t'en supplie.*

— Thomas…

— Mon petit amour, viens.

— Thomas non.

Elle veut le griffer, le repousser, elle essaie, juré elle essaie, mais il n'y a plus de volonté dedans elle, plus d'énergie, il est là et il l'enveloppe, il la recouvre, il l'emprisonne. Clémence voit ce qui se passe et plus rien en elle ne peut protester, telle une souris prise au piège qui voit avancer le chat et bondit et hurle et − rend les armes, parce que tout le reste est impossible, un dernier sursaut, un dernier murmure : *Thomas, va-t'en s'il te plaît* − voilà, elle a dit : *s'il te plaît*. Elle a capitulé. Une question de secondes, à présent.

— Vous ne voyez pas que cette jeune fille veut que vous la laissiez tranquille ?

Une autre voix soudain, étrangère, qui brise brutalement l'univers entre eux deux.

Un manteau turquoise.

Oh le choc, la gifle, le coup de tonnerre.

Clémence, sa voix chevrotante : *Madame Porte ?*

La dame ne regarde que Thomas.

— Pourquoi est-ce que vous la harcelez ? Pourquoi est-ce que vous ne la laissez pas ? Si elle vous dit qu'elle veut que vous partiez ! Je vais appeler la police, si vous restez là.

Thomas fait face à la vieille dame qui brandit son téléphone portable, il a lâché Clémence. Lâché le lien. Le monde se reconstruit en une fraction de seconde, comme libéré, hors des mains de Thomas, hors du regard de Thomas. Ce qu'elle allait faire,

Clémence, bon sang. Elle a les yeux exorbités, rivés sur lui et son geste de repli, l'apaisement que soudain il réclame ; surtout, elle observe la vieille dame, sa voix ferme, claire, son corps penché vers Thomas dans une attitude de défi – elle charge, voilà ce que se dit Clémence, elle est peut-être elle aussi une souris mais qui se dresse et se bat et mord et tape, une souris qui vient au secours d'une autre, depuis combien de temps cela ne lui était-il pas arrivé, Clémence, d'être épaulée à l'instant précis où le destin se joue d'elle. Alors c'est comme un éclair qui la traverse, elle s'ébroue, s'élance, quelques pas en avant pour les rejoindre, et : elle fait pareil.

Son corps d'attaque.

Sa voix sèche, sans tremblements, sans un sanglot.

Va-t'en.

Leurs deux voix, ces femmes-là, qui se relaient dans un refrain farouche.

Partez, laissez-la.

Va-t'en, c'est fini.

Et soudain, oui, Thomas les regarde, l'une puis l'autre, décontenancé, il secoue la tête – *Mais Clémence... ?* Et brusquement, il s'en va. D'un coup. Il cède, il décampe. Une volte-face, et l'instant d'après Clémence ne voit plus que son dos, ses jambes qui – cette fois c'est lui : s'enfuient. Cela prend quelques secondes à peine. Il disparaît à l'angle de la rue. *Il est parti*, murmure Clémence.

243

Il n'est plus là. Elle se tape la poitrine. Plus là non plus. Et ce qu'il y a à la place, dans ses veines et dans son sang, est incroyable. Une joie féroce, immense, terrible. Une petite étincelle tout au fond qui s'enflamme et devient un brasier. Clémence explose, Clémence rit. Thomas ne reviendra pas : il a compris qu'elle avait coupé pour de bon, qu'elle n'était plus seule, plus du tout. Ou Thomas peut bien revenir : dorénavant, elle sait comment faire.

Rit, des larmes enfin joyeuses.

Elle se tourne vers madame Porte.

Merci. Oh merci.

Tout à côté d'elle, la vieille dame la regarde.

Un drôle de regard. Vraiment tout près.

Alors Clémence secoue la tête, ouvre les bras dans un geste qui pourrait être d'excuse ou de résignation, elle rit pour elle-même cette fois. *Madame Porte*, murmure-t-elle en haussant les yeux au ciel, voilà, c'est pour aujourd'hui. C'est pour cela qu'elle n'est pas seule, c'est pour cela que Thomas a eu cette lueur déroutée dans les yeux en les voyant toutes les deux, qu'il a abdiqué aussitôt. À vrai dire, ce n'est pas qu'il les a vues, madame Porte et elle : il les a reconnues. Clémence émue soutient la scrutation de la vieille dame qui n'est pas si vieille. Combien de secondes pour que cela arrive hein. Elle le savait, que ça viendrait. Elle le savait depuis qu'elle est revenue dans ce quartier où vit la vieille dame, près, tout près d'elle, elle la guettait depuis la vitre embuée de la boulangerie, ce moment-là elle l'attendait, elle en rêvait, elle n'osait pas, soudain c'est fait.

La main de madame Porte sur son bras.

Et puis le murmure, incrédule, saturé d'un espoir qui se retient.

— Clémence ?

Elles se sont assises côte à côte autour de la table du café, au bord du trottoir. Dos au mur – la vue sur la rue, la fontaine, la ville. Les voitures passent au ralenti, c'est un quartier qui vit, un quartier plein de monde, de gens qui marchent et traversent sans faire véritablement attention puisque les voitures s'arrêtent c'est convenu. Clémence connaît bien cet endroit-là. Un morceau de ville qui ressemble à un village, avec son petit cœur et ses commerçants tout le long des rues, la halle au milieu de la place, là où se tient le marché le vendredi, le fleuriste à l'angle, la librairie d'Iris, les étals remplis de choses à manger. Les cafés et leurs terrasses – quand il fait beau, Clémence s'assied avec un livre et laisse filer le temps en lapant un expresso à petites gorgées. *S'asseyait.*

Ce quartier, elle y a grandi. Elle est de retour. Elle a choisi la boulangerie pour cela, tant de souvenirs, elle a pensé que cela lui porterait bonheur. À voix très basse, presque un murmure, elle dit : *Je pensais que tu serais partie d'ici. Quand j'ai cherché une location, je suis venue à l'appartement. J'ai vu ton nom sur la boîte aux lettres. Et j'ai su qu'il fallait que je revienne, qu'on se retrouve. Je ne savais pas comment faire, c'est tout. À la boulangerie où on allait, ils cherchaient quelqu'un, alors...*

La vieille dame soupire.

— Je serais restée là toute ma vie. Moi aussi, je voulais que tu puisses me trouver. J'ai eu raison tu vois. Je ne me serais jamais pardonné de ne pas avoir été là.

Clémence sourit, pose son téléphone sur le formica rouge. Finalement, elle n'aura pas eu besoin de — cela s'est fait autrement, voilà. En chair et en os. En voix. En vrai. Elle met une main sur la main qui lui caresse la joue.

— Je suis là, dit-elle.

— Il s'en est passé des choses.

— Je te raconterai.

— Tu savais que c'était moi, tu me voyais depuis l'arrière de la boutique ?

— Oui. Et toi tu nous faisais signe chaque matin.

— Mais je ne t'ai pas reconnue. Je suis trop myope, ce n'étaient que des silhouettes.

Clémence baisse la tête.

— Personne ne m'aurait reconnue.

— Cela fait longtemps que tu es là.

— Quelques semaines.

— Pourquoi tu – la vieille dame ne finit pas sa phrase et Clémence hausse les épaules.

— J'ai failli. Plusieurs fois. Je l'aurais fait un jour, bientôt.

Il y a un silence. Pas un silence de reproches : de ceux où la pensée vagabonde, enivrée par une émotion délicieuse, où les mots sont inutiles. Juste les sourires. Juste les regards. Clémence ajoute :

— Peut-être j'ai eu peur que tu ne veuilles plus me voir.

Que tu ne m'aimes plus.

— Il aura fallu cela.

— Cela oui. Maintenant c'est fini.

— C'est bien toi, mon Dieu, c'est toi qui es là.

— Oui, c'est moi. Clémence. Je suis là, maman.

Parce que ce n'est pas vrai qu'une petite fille de onze ans peut se dresser face au monde pour protéger sa mère : c'est l'inverse qui est vrai. Ce sont les parents qui protègent. Bien sûr, quand on est une petite fille, on croit sans doute qu'on y arrivera, qu'on a un rôle à jouer – on est convaincu qu'on est responsable et, si les choses tournent mal, que l'on peut tout réparer. Mais la réalité est autre.

Ce sont les parents qui protègent.

Parfois, les enfants mettent des années à s'en apercevoir.

Parfois, les parents n'ont pas su expliquer, ou alors ils n'ont pas compris le drame dans la tête des petites filles, au fond ce n'était qu'un chemisier déchiré. D'ailleurs la mère de Clémence l'avait oubliée, cette dispute. C'est parce que Clémence en a reparlé.

Tu te souviens ton chemisier jaune avec des fleurs.

Non, elle ne s'en souvenait pas.

La dispute, l'accrochage – en réfléchissant bien, peut-être, oui cela a dû arriver, murmure-t-elle. Clémence, cela la laisse bouche bée. Pas pour la mémoire : c'est plutôt prendre conscience qu'un événement si important pour elle n'est rien pour sa mère. Tellement rien, qu'elle l'a oublié. Clémence qui a cru qu'elles vivaient toutes les deux avec ce traumatisme cette tragédie, que cela les avait formatées, unies, définies. Mais non. C'est l'amour qui les rassemble, pas un drame qui n'a jamais été un drame sauf dans la tête d'une enfant qui ne savait pas cette violence-là. Et là aussi, c'est comme si les choses se remettaient en place soudain. À la bonne place : le chemisier déchiré n'est qu'un chemisier déchiré. Thomas n'est qu'un homme que Clémence n'aime plus.

Pas de catastrophe. Pas d'ogre.

La réalité sans l'imagination autour, sans déformation, sans dilatation. Projetées sur les parois d'une caverne éclairée par un feu, des silhouettes ordinaires peuvent prendre l'allure de géants monstrueux. Pour les ramener à leur taille réelle, à leur forme réelle, il suffit de –

Rallumer la lumière. Éclairer. Éclaircir.

Clémence pose une main sur celle de sa mère. Elle dit : *Lumière.*

Et la réalité revient.

Mais ce n'est pas vrai non plus que tout serait simple d'un coup.

Tout oublié, tout effacé ? Saleté de mémoire.

Et ce n'est pas vrai que tout serait pardonné.

Juste, il y a des béquilles. Juste, il y a un peu de force en plus.

Il y a Gabriel, dans le jardin de Clémence.

À travers la haie, l'après-midi, elle dit : *J'ai retrouvé ma mère.* Il laisse de côté sa douleur et sa rancune. Il passe par la rue, parce que les thuyas, ça fait mal et ça gratte. Clémence commence par des excuses.

— Je suis désolée, pour l'autre jour. J'ai raconté n'importe quoi.

Cela n'a plus d'importance à ce moment-là. Il veut seulement qu'elle lui dise.

— Comment vous avez fait.

Elle lui explique.

— Vous saviez que votre mère habitait là ?

Elle hoche la tête. C'était sa façon de se rapprocher, quand appeler était trop difficile. Sa façon de reprendre contact, à sens unique, de se réhabituer. Avec l'espoir absurde que sa mère le sentirait, qu'elle percevrait un changement dans l'air, la présence de Clémence tout près soudain, l'espace rétréci entre elles. La certitude que lorsque l'on demande du plus profond de son âme, tout n'arrive pas de la manière qu'on le croyait ou qu'on espérait, mais quelque chose arrive. Cela Clémence en est certaine, depuis que —

À quinze ans, en se réveillant un week-end à la campagne, elle avait vu au bout du jardin, au bord de la route, un lièvre assis. Elle l'avait regardé en souriant. Voilà, cela, c'était la campagne. Un lièvre tranquille qui ne bougeait pas. Juste le mouvement de ses yeux épiant autour de lui. Un lièvre qui restait là. Un peu, et c'était joli. Longtemps. Soudain, Clémence s'était dit que ce n'était pas normal. Au bout d'un quart d'heure, elle était sortie. Le lièvre l'avait vue. Elle avait deviné la panique, l'effort pour s'enfuir — et rien ne s'était passé. Alors elle avait compris que l'arrière-train de l'animal était paralysé. Une voiture sûrement, la nuit ou au petit matin. Elle avait compris en même temps que le lièvre était condamné. Elle était rentrée dans la maison, mal à l'aise, avait regardé par la fenêtre dix fois, et il était toujours là. C'est à ce moment qu'elle y avait repensé : *demande, et il te sera donné.* Si tu demandes vraiment. Du fond du cœur, du fond de toi. Elle avait observé la bête de loin, elle avait réfléchi, s'était concentrée, elle avait pensé, fort : *Meurs. Meurs !* Pour que la souffrance s'arrête. Puisqu'il n'y avait rien d'autre à faire. Et véritablement, elle y avait cru. Elle avait envoyé des ondes, des ordres, des prières. Elle était sûre que le lièvre allait tomber d'un coup. Elle le regardait – non, elle attendait.

Et le lièvre était là, et il ne tombait pas.

Sa foi à elle, vacillant soudain. Comme tout cela est fragile.

Et puis un quatre-quatre au bout du chemin, qui venait avec lenteur, elle l'avait reconnu, c'était l'agriculteur voisin, il roulait toujours avec cette lenteur exaspérante. Le temps de devenir fou quand on était derrière lui. Cette fois, c'était le temps d'ouvrir la porte de la maison en courant, de dévaler les trois marches et de lui faire signe. Il s'était arrêté, elle lui avait expliqué. Il avait proposé :

— On peut pas le laisser comme ça. Faut lui mettre un coup de bâton sur la tête, pauvre bête.

— Oui il faut – Clémence avait baissé le nez.

— Vous voulez que je le fasse ?

— Oui, s'il vous plaît.

— Un bon coup derrière le crâne, ni une ni deux.

Clémence n'avait pas regardé. Elle était rentrée, avait compté cinq minutes avant de se remettre à la fenêtre. Le lièvre n'était plus là et le quatre-quatre non plus. Ça avait marché. Elle avait demandé si fort. Et réellement, cela ne s'était pas du tout passé comme elle avait pensé ; mais ça s'était passé. C'est la même chose qu'a dite sa mère aujourd'hui : *il aura fallu cela.* Oui il a fallu Thomas à la sortie de la boulangerie, la peur, le chancellement, le doute. Et vraiment : cela valait la peine. Si c'était le prix à payer pour retrouver sa mère, cela valait cent fois, mille fois la peine.

— Vous ne croyez plus que c'est moi qui ai donné votre adresse par je ne sais quel tour de magie ? sourit Gabriel.

— Non. Mais si c'était vous, je vous aurais remercié pour ça, au bout du compte.

Gabriel observe la petite. Elle a changé d'un coup. Une sorte de métamorphose brutale, joyeuse. Il pense que tout s'est mis en place ces semaines-là pour qu'ils en arrivent à cet instant, la boulangerie avec Flo, le travail avec lui Gabriel, et puis ces retrouvailles qui ont déclenché quelque chose de déterminant, de l'ordre de la puissance et de la confiance en soi. Il fallait cet amalgame pour rattraper Clémence par la peau du dos, car c'est de cela qu'il s'agit, un plan d'urgence, une gamine noyée aspirée étouffée – presque. C'est un peu les premiers pas d'un enfant que regarde Gabriel, sans tomber, sans personne pour le retenir, cela l'émeut. Bien sûr, après l'euphorie, il y aura le jeu des hauts et des bas ; pourtant cette brèche vers la consolation et la liberté, rien ne la refermera, il en est certain.

Juste du temps – est-ce qu'il n'avait pas raison, Gabriel ?

Et il a mal, comme chaque fois qu'un être s'élance tandis que lui reste dans son monde où rien ne changera jamais. Il a écouté sans l'interrompre Clémence persuadée que lorsque l'on demande, on reçoit. Cette conviction est le meilleur allié de la petite, alors il ne lui dira pas. Il ne veut pas gâcher la fête. Il ne veut pas être celui qui annonce que ce n'est pas vrai. Si c'était vrai, son fils serait vivant. Si c'était vrai : lui qui a passé des milliers d'heures à supplier qu'on le lui rende, lui que personne ne peut soupçonner d'avoir été un peu négligent, un peu insuffisant dans cet espoir fou, cette foi qu'il a définitivement perdue depuis. Peut-être que juste – parfois cela marche, parfois cela ne marche pas. L'existence est tellement injuste, et tellement capricieuse. Allons, pense-t-il, il faut se réjouir des jours où cela va bien chez les autres. Il faut se réjouir pour les petites filles qui retrouvent leur mère après s'être égarées trois ans dans la forêt.

Parce que : Clémence est au seuil de devenir grande et forte.

Et au fond, il se demande si elle n'avait pas raison. Si elle n'était pas déjà grande et forte, même à sept, s'il n'y avait pas en elle cette réserve hallucinante de hargne et de ténacité qu'il n'a pas entièrement mesurée, qu'il découvre en la voyant le regard flamboyant, éclairée d'une joie enfantine quand elle parle du soir prochain où elle dînera chez sa mère, de leurs projets de vacances, des petites vacances pour voir, de la vie qui se rouvre, tout va si vite dans la tête et les mots de Clémence, tout va trop vite.

Gabriel pense qu'il n'a pas tout vu.

Il pense qu'il a manqué quelque chose, une toute petite chose qui lui échappe. Comme un léger bruit dans un moteur : pas assez pour déterminer ce qu'il y a, mais suffisamment pour deviner que c'est différent de la fois d'avant.

Que peut-être, c'était là depuis longtemps.

Simplement, il est passé à côté.

Ou il s'est fait avoir.

Et ce n'est pas important, se dit Clémence de son côté, que tout ne soit pas exactement comme avant. Les choses ont changé et il est impossible de les ignorer, impossible de les forcer à revenir en arrière. Il y a eu ces trois années noires que rien n'effacera : elle doit l'accepter. Juste, essayer de faire du beau avec du grave. Ce n'est pas maquiller la réalité, ce n'est pas remplacer un mensonge par un autre : c'est une question de point de vue.

Faire du beau avec du grave – difficile.

Clémence s'applique.

C'est comme si d'un coup elle avait débloqué un immense puzzle sur lequel elle butait depuis trois ans, depuis bien plus longtemps peut-être. Les pièces s'emboîtent, elle sait qu'à présent elle pourra en venir à bout. Évidemment, il manque toujours quelques morceaux ici et là. Cela se colmatera. Il faut bien que Gabriel ait un peu raison lorsqu'il dit que le temps est nécessaire : même les belles choses demandent du temps. L'important, c'est d'avancer, de ramasser en cours de route les petits bonheurs qui réparent et reconstruisent, c'est de constituer des minuscules réserves pour les jours où cela ira pire, c'est se souvenir que sa mère est là, à un quart d'heure à vélo, que la confiance et la joie se rétablissent avec lenteur – non, avec : douceur.

En attendant, Clémence a déposé sa demande de prêt bancaire et Flo doit en faire autant la semaine suivante. Ils ont rédigé ensemble leur lettre de démission, pas encore envoyé. Au dernier moment.

Il y a Manon et Pierre aussi, qui sont venus visiter sa maison pas finie. Ils ont bu du rosé sur la terrasse, à l'ombre d'un parasol bleu, le thermomètre indiquait vingt-huit degrés et par vingt-huit degrés, on boit du rosé, a dit Pierre. Manon est tombée amoureuse du sophora au bout du jardin. Clémence a présenté les quatre poissons rouges et demi, ils n'ont pas de nom, elle annonce simplement *mes poissons rouges*.

— Et lui, qu'est-ce qu'il a ? a demandé Manon en montrant celui au dos abîmé.

Elle a froncé le nez et Clémence a pensé qu'elle aussi devait faire cet effet-là parfois, ce mélange de curiosité et de dégoût, ces êtres que l'on ne peut s'empêcher de regarder tout en ressentant un curieux malaise, parce qu'ils sont différents, ou repoussants, parce qu'on ne voudrait pas être comme eux – ceux qui servent à conforter les autres dans l'idée qu'ils sont eux-mêmes normaux, ceux qui rassurent, ceux qui permettent de regarder vers le bas. C'est toujours bien de savoir qu'il y a plus bas que soi. Moins beau, moins vif, moins grand. Moins adapté. Moins réussi.

— C'est mon préféré, a éludé Clémence.

Manon a souri. *Cela ne m'étonne pas.* Elle l'a dit sans moquerie et sans aigreur, simplement parce que c'était vrai, Clémence ne pouvait qu'aimer ce poisson qui lui ressemblait, Clémence qui a ajouté :

— Regarde.

Elle a sorti de sa poche une boîte de nourriture pour poissons, en a versé dans le bassin. Les poissons se sont rués vers la surface, gobant les flocons et les paillettes de couleur, se bousculant sous l'eau. Lorsqu'il n'est plus resté que quelques miettes, le poisson rouge au dos blessé a chassé les autres pour terminer seul le festin. Clémence a ri.

— Tu vois ?

— Ça ne m'étonne pas, a répété Manon.

Il y a encore des après-midi avec Gabriel. Juste pour le plaisir, songe Clémence. Elle aurait pu couper les ponts. Elle aurait pu planter un thuya neuf à côté de celui qui a été amputé, et que la haie se referme. Chacun de son côté. Pour échapper au regard de Gabriel, à l'acuité en lui qui l'observe et peu à peu, elle le sait, la devine. Au fond, Clémence s'en moque. Elle s'en sortira. Si elle s'est sortie de Thomas, elle se sortira de tout. Alors il y a toujours le trou dans la haie, elle n'a pas abandonné Gabriel. C'est dans ce sens qu'elle le voit oui.

Gabriel qui penche la tête en haussant les sourcils.

— Vous êtes donc sauvée ?

— Je ne sais pas. Je crois, je ne le dis pas tout à fait, de peur que ça revienne.

— Mais de quoi allons-nous parler ?

Elle sourit.

— Vous voulez un mauvais café ?

— Passez de mon côté, il y en a du bon.

À aucun moment il ne demande à Clémence à quel chiffre elle est arrivée, si, de sept, elle est descendue à – six ? quatre ? moins ? Soit il ne veut pas savoir, soit il connaît la réponse. Thomas est devenu une ombre. Clémence n'en parle plus. L'emprise s'est brisée, c'est cela et c'est plus que cela.

Clémence ne parle plus assez de Thomas, se dit Gabriel en l'observant pensivement. Quelque chose lui semble trop brutal, trop définitif, comme si elle avait effacé Thomas du monde, comme si elle l'avait rayé de la liste des êtres existants, gommé, absorbé avec un buvard pour le rendre invisible. Est-ce sa façon de parfaire le travail – est-ce une bonne idée, sur un édifice aussi fragile. Et Gabriel secoue la tête pour lui-même, il faut qu'il arrête de croire que la gamine est fragile, il l'a vu dans son regard : la colère masquée sous la faiblesse.

N'empêche. Il s'inquiète. Il n'aime pas ces pressentiments, ces floutés, cette impression d'un inachèvement dont il redoute l'issue, il s'inquiète trop, se persuade-t-il, il s'inquiète pour rien, mais il ne peut pas se l'enlever de la tête et il cherche en dévisageant Clémence la faille soigneusement cachée, il espère qu'il se trompe, que tout ira bien, vraiment bien.

Enfin il y a les petites heures entre la mère et la fille, l'enivrement d'un temps revenu même si, encore une fois, Clémence sait que ce n'est pas comme avant. Mieux ? Et pourquoi pas. Quand on a saccagé l'amour, le retrouver a forcément une saveur particulière. C'est la perte qui donne conscience de la valeur d'une chose : tant qu'on l'a, cela paraît normal. Il faut un choc. Il faut la peur – pour se rendre compte que rien ne va de soi, et rien n'est éternel. Le bonheur est un travail, pense Clémence en regardant les roses en fleur dans le jardin de sa mère, comme des plantes qui, laissées à l'abandon, attrapent des maladies et des pucerons et s'étiolent, sans quelqu'un qui vous aime, il est impossible d'éclore. Tant d'émerveillement en elle, tant d'émotions que Thomas avait refoulées si loin qu'elle les croyait enfuies à jamais : et soudain, c'est là. C'est si simple et si incroyable que cela la fait rire chaque fois qu'elle y pense, elle ne s'en lasse pas, sa mère apporte le café en souriant.

Quelque part dans ton rire, il y a ce petit son cristallin que j'aime tant et qui reste de ton enfance.

Quelque part, Clémence a dix ans. Avant les ruptures, avant les peurs, avant les erreurs. Quelque part, Clémence a vingt ans. À vingt ans, elle aimait sa mère pour toujours. Il suffit de si peu, un pas de travers, un énorme pas masqué sous un sale petit prétexte, grandir, prendre son envol, aimer – quelqu'un d'autre. Par moments, Clémence se trouble de la paresse avec laquelle elle replonge dans son ancienne existence, elle se trouble de ces pas en arrière, de ces reculs trop confortables. Il n'y a pourtant pas de retour : il y a simplement un refuge. Elle se souvient, quand elle était jeune, des parties de chat perché avec ses amis le week-end à la campagne, c'était à la nuit tombante, à la nuit tombée, à l'heure où les ombres accélèrent les palpitations du cœur et que les chats embusqués prennent des airs de dragons. Dans cette adrénaline, cette tension qui montaient, il y avait les refuges. Il suffisait à Clémence de sauter dessus pour devenir intouchable. C'était un banc, un muret, une grosse pierre carrée. Les chats lui tournaient autour, rageant de la savoir à l'abri, la regardaient en espérant qu'elle glisse, ou que le goût de l'aventure la pousse à s'élancer d'un coup. Mais Clémence restait. Elle restait parfois jusqu'à la fin de la partie. *Qu'est-ce que tu fiches ?* s'étonnaient les autres qui passaient en courant. Elle se calmait. Elle s'apaisait. Elle sentait ses pieds s'ancrer, son âme descendre dans la terre et y faire racine, et aucune sensation n'équivalait cette étrange sérénité qu'elle essayait de garder au creux d'elle-même jusqu'à ce que le jeu s'achève et qu'elle soit obligée de rentrer.

Les heures avec sa mère sont de cette nature-là : des fragments de bien-être, des petites falaises sur lesquelles elle se plante en dehors, au-dessus du monde. De là, elle contemple l'univers, elle sait que rien ne peut l'atteindre. De là, elle imagine une suite à sa vie, quand le présent était insupportable et indépassable. C'est parce qu'il y a un avenir qu'elle peut savourer chaque instant de ces nouveaux jours. Parce qu'il y a des projets, des idées, des exaltations.

Parce qu'elle est perchée.

Parce que merde, oui, elle est grande et forte.

PRESQUE UN AN PLUS TARD

À la terrasse du café, Clémence observe les gens qui courent, écoute les moteurs des voitures qui vont et viennent inlassablement autour de la place. Elle n'avait encore jamais compris qu'elle ressemblait à ces vaches suivant du regard les trains qui passent – et d'une manière générale, tout ce qui remue dans le paysage. Mais le fait est que lorsqu'on est désœuvré, on s'occupe à n'importe quoi. À côté d'elle, quand ils n'ont pas le nez collé à leur téléphone, les clients regardent eux aussi ce petit garçon qui crie pour que sa mère lui achète une glace, sa mère qui l'attrape par le bras et le traîne parce qu'ils sont en retard (elle ne dit pas pour où ni pour quoi) ; ce chien marron qui pisse sur les roues d'un vélo cadenassé à un réverbère ; la voiture qui ralentit et s'arrête pour laisser traverser une vieille dame aux cheveux délicieusement bleutés. Tant de choses à voir qui ne valent rien, et qui valent tout l'or du monde par la disponibilité et la tranquillité d'esprit qu'elles supposent. Il y a trois ans, Clémence n'aurait rien remarqué de tout cela. Elle aurait été dans le courant de ceux qui filent et zigzaguent et se bousculent, elle aurait été dans la pensée de Thomas qui l'attend, du dîner qui doit être prêt, du vin blanc qu'elle a oublié de mettre au frais. Elle aurait été dans cette présence électrique, agitée, dans cette peur de mal faire qui fait que l'on fait mal de toute façon. Jamais pendant les années de Thomas, Clémence ne s'est arrêtée une heure à la terrasse d'un café pour devenir une vache et contempler le monde. Et en vérité, il y a quelque chose d'enivrant à cette vacuité tranquille, au cerveau qui s'octroie une pause en ne réfléchissant à rien, rien de particulier, juste : *Oh la jolie petite fille avec des couettes ; et les moineaux en volée là où sont tombées les miettes de croissant du type d'à côté ; tiens, il y a la queue chez le boucher.*

Alors lorsque son téléphone sonne, Clémence n'est pas vraiment là, le regard perdu sur les scènes du quotidien, sur ce garçonnet qui n'a pas eu sa glace – elle aussi, elle tirait sa mère par la main pour mendier des glaces à l'italienne, bien crémeuses bien grasses mais quand on est môme on s'en fout, que les glaces soient grasses –, et le téléphone manque de lui échapper, glisse entre ses mains, elle le rattrape de justesse. Au moment où elle pose son doigt sur l'écran, son cerveau enregistre les lettres en blanc sur bleu –

— Manon ?

Il y a un silence de l'autre côté, pas le petit gloussement qu'elle imaginait ou une voix surexcitée lui racontant son week-end. En une fraction de seconde, elle visualise Manon au bureau, on est lundi matin. Pour Clémence, c'est jour de repos. Pour les autres – la reprise de la semaine. *Il se passe un truc*, pense Clémence.

— Coucou Manon.

— Coucou ma grande Clémence. (Manon est la seule à l'appeler *ma grande Clémence,* c'est parfaitement inadapté mais cela lui fait un bien fou.) Tu as deux minutes ?

— Oui. Oui, est-ce que ça va, toi ? Tu as l'air tendue.

— Mmm. Je voulais juste te dire…

— Oui ?

— Il y a eu quelque chose ce week-end. On vient de l'apprendre, ici. C'est à propos de Thomas.

Clémence fronce les sourcils, elle en veut à Manon, soudain, d'appeler pour parler de Thomas, Thomas n'existe plus, existe de loin en loin tel un mauvais souvenir qu'on a réussi à effacer, elle refuse qu'on le remette dans sa vie.

— Manon, tu sais…

267

— Je sais. C'est justement pour ça qu'il faut que je te raconte.

Sortie d'affaire, Clémence ? À peine, à très petite peine. Son rythme cardiaque s'accélère, cela l'agace, cela l'attriste, la douleur est si près de la surface encore, un an et la blessure affleure, c'est long, trop long. Elle soupire, s'arrache un sourire pour elle-même.

— J'espère que tu as une bonne nouvelle, Manon. J'espère qu'il a été renversé par une trotti-nette pendant qu'il traversait le pont Alexandre-III, qu'il a été projeté dans la Seine et qu'il est mort après une chute de quinze mètres au cours de laquelle il s'est explosé le crâne en percutant un pigeon qui passait par là.

Il y a un blanc au bout du téléphone.

— Il a été agressé. Pour de vrai.

Bon sang.

Et c'est bête, c'est méchant, mais Clémence sou-pire de soulagement, nom de nom, ce n'est que ça, elle s'en moque, hein, elle.

— D'accord, dit-elle calmement avec le cœur qui cogne. Et ?

— Bon, je te fais la totale, c'est presque comme dans tes rêves. Là, c'est chaud. Il est à l'hôpital. Il a été massacré, Clémence. Il paraît qu'on l'a tabassé avec une barre de fer, brisé comme du verre, tu comprends ? Il va s'en sortir mais les médecins savent déjà qu'il ne marchera plus jamais, il a le dos et les jambes en mille morceaux. Il finira sa vie dans un fauteuil roulant. Tu te rends compte ? *Thomas ?*

Clémence a la bouche ouverte, stupéfaite. Et c'est idiot encore ce qu'elle chuchote à ce moment-là, parce que évidemment Manon n'inventerait pas tout cela, c'est tellement énorme.

— Ce n'est pas possible.

— Si.

Un silence entre elles, encore. Un silence qui laisse monter l'émotion, et aucune d'elles n'ose le dire, aucune d'elles ne prend l'initiative, elles sont sur une corde, surtout ne pas glisser. Finalement, Manon murmure :

— Putain, Clémence.

Au bout du téléphone, Clémence serre les poings, serre les yeux. Elle a compris au ton de Manon. Elle sait qu'elle peut – pas trop fort, pour qu'on ne se retourne pas sur elle à la terrasse du café :

— Manon, oui. Oui ! Oui !!!

Dans le combiné, Manon exulte elle aussi.

— Tu es libre, Clémence. Tu ne risques plus rien. Rien ! Tu peux l'enlever de ta tête, tu peux arrêter d'avoir peur qu'il débarque encore une fois, encore un jour, toute ta vie.

Elles se taisent. Les choses sont dites.

— Nous sommes horribles, chuchote Manon.

Clémence ne répond pas, hoche la tête de son côté.

— Tu sais ce qui s'est passé... ?

Manon glousse.

— Tu connais Thomas et ses soirées. Il verra ça avec la police... dans tous les cas, cela ne lui rendra pas ses jambes. Enfin, tu comprends pourquoi je voulais t'appeler dès que j'ai appris ça.

— Oui.

— J'ai honte mais merde, il y a une justice ! Tu sais quoi ? Au fond, c'est bien fait pour sa gueule ! Oh là là, je n'ai jamais dit ça, hein.

Clémence n'entend plus. Les yeux rivés à la place, aux gens, aux voitures, elle ne voit plus. Les yeux grands ouverts. Grands dans le vide. Thomas a trouvé plus fort, plus mauvais que lui. Thomas ne marchera plus. D'un coup, le quartier tranquille où elle se trouve fait place au souvenir de l'immeuble de Thomas, le hall la nuit, les ombres des plantes vertes devant les miroirs immenses alignés sur les murs. C'est là que ça s'est passé. Dans son regard, cela fait comme un film, des images plaquées sur sa rétine, sombres, violentes.

— Merci, Manon. Merci. Bon sang, merci – Clémence raccroche.

Elle pose ses deux mains à plat sur la table de bistrot. Respire. Le temps d'enregistrer, le temps de digérer. Le temps que son cœur revienne à des battements ordinaires. Le temps enfin de crier à voix basse, mais de crier quand même, parce qu'elle en a besoin, parce que l'émoi est trop fort et qu'il n'y a pas de mots, seulement la réaction immédiate, brutale, ce qui lui remonte des tripes. Et s'il y avait des mots ce serait pour dire, c'est terrible cela oui, ce serait pour dire : cet instant de grâce où Thomas est devenu une chose qui ne peut plus lui faire de mal. Et à l'intérieur de Clémence il y a ces orages-là, de larmes et de fureur, il y a ce rugissement, ce craquement de son être, quelque chose s'accomplit, elle regarde ses mains blanchies, le sang s'est retiré et cogne dans sa poitrine.

Putain – la sidération.

Putain !

La joie.

Clémence observe son reflet sur la vitre. Bien droit dans les yeux qui brillent, avec ce visage transcendé soudain, un sourire immense et terrifiant qui tire sur les côtés pour monter jusqu'au ciel et le ciel est bleu et jaune et rose. Clémence tourne la tête, un peu cela suffit, il y a la vitre et à côté il y a Gabriel. Elle éclate de rire. Le regard embarrassé de Gabriel ne la gêne pas. Elle promène sur lui un étrange sourire.

— Est-ce que je ne vous l'avais pas dit, que quand on demande de toutes ses forces –

— Clémence, on ne peut pas demander *cela*, objecte Gabriel à voix basse.

— Non. Mais c'est cela qui arrive.

Il insiste.

— Vous ne pouvez pas vous réjouir de cela.

— Je ne sais pas.

Et dans ses yeux, il voit bien que si, Clémence sait. Et oui, elle se réjouit.

— C'est grâce à vous si — elle ne finit pas sa phrase, et il lève une main en signe de dénégation, non ce n'est pas grâce à lui, il n'y a pas de grâce dans tout cela, rien qu'une tragédie, et il n'y a pas de lien, pas de causalité.

— Vous m'avez aidée, l'année dernière.

— Pas à cela. Cela, c'est le hasard, c'est le destin. C'est la malchance.

— Est-ce que je peux dire au moins que ça tombe bien ?

— Cela me paraît très violent. Très... immoral.

— Puisque c'est là.

— Oui, mais cela ne peut pas être —

— Une vengeance ? Un juste retour des choses ?

— C'est effrayant ce que vous dites.

— Alors encore une fois : de la joie.

Et encore une fois, qui d'autre que Clémence peut avoir ce regard-là, dépouillé de toute empathie, glacial dans ce qu'il a de sauvagerie muette, qui peut comprendre ce que l'accident de Thomas signifie et qui a investi ses pensées à elle, Thomas ne se lèvera plus tout seul, Thomas ne marchera plus : c'est bien davantage qu'une invalidité, bien davantage que la mutilation d'un corps. Thomas dans un fauteuil roulant, c'est — un homme qui plus jamais, plus jamais.

Thomas ne la poursuivra plus dans la forêt.

Il n'y a pas à changer d'avis, pas à mentir, pas à tendre des pièges pour reprendre Clémence dans ses filets. Thomas ne la poursuivra plus. Il aurait pu le promettre et elle ne l'aurait pas cru. Il a promis tant de choses qu'il n'a pas tenues. Mais Thomas ne la poursuivra plus, définitivement, parce qu'il n'en est plus capable.

Si ce n'est pas un soulagement fantastique. Si ce n'est pas une allégresse, une liberté qu'aucune autre solution n'aurait garantie aussi sûrement. Si ce n'est pas – Clémence a levé les bras au ciel : justice, enfin !

Même si cela ne se dit pas, parce que ce n'est pas correct.

Et si je veux le dire, moi ?

Gabriel la regarde s'éloigner en silence. Il reste immobile un long moment. Il pense aux discussions qu'il continue à avoir avec Clémence, elle est restée proche de lui, elle n'a pas dit qu'elle n'avait plus besoin de lui. Il est dans sa vie, un vieil ami, un confident. Un grand-père ? sourit-il en pensant à leur écart d'âge qui ne justifie en rien qu'il soit son grand-père. Il l'a vue se reconstituer depuis un an, avec ses doutes et, surtout, ses grands pas de géant. Seulement voilà ce qu'il a laissé passer peut-être, voilà son immense erreur. L'excès de la petite, sa démesure, et au fond : sa folie. Car pour tout cela, tout ce qu'elle a fait cette année, il fallait de la force. Elle ne l'avait jamais perdue. Gabriel cherchait sa faille et sa fragilité quand il n'y en avait déjà plus. C'est pour cela, cette impression d'urgence, cette trop grande rapidité avec laquelle Clémence s'est reconstruite. Elle avait commencé avant. Elle avait les ressources. C'est elle qui les a piégés, tous, elle qui leur a laissé croire en sa faiblesse, elle, au-dessus de tout soupçon.

Pauvre Clémence.

Gabriel rit tout bas et Dieu sait qu'il n'a pas envie de rire. Il a relié les choses entre elles et à son tour, dans une lente prise de conscience, ce n'est que le temps d'intégrer ses erreurs les unes après les autres, toutes ses fausses pistes, tous les leurres sur lesquels il s'est rué tel un poisson stupide trop content de happer le premier appât venu. Le temps de dire les mots en se prenant le visage entre les mains, puisque c'est cela qui s'est passé.

Ce qu'il a fait depuis plus d'un an, ce n'est pas sauver une gamine en perdition. C'est conforter un monstre. Oh, ce n'est pas sa faute : le monstre était là avant. Était là parce que sans lui, tout serait mort, sans lui, il n'y avait pas assez de force pour survivre. Seule la noirceur pouvait répondre à – seules les ténèbres pouvaient sauver Clémence.

Gabriel a cru délivrer une princesse prisonnière dans un château.

Il a délivré quelque chose oui.

Juste, ce n'était pas une pauvre et fragile petite gamine.

Il fait nuit dans le jardin minuscule. La lune dessine des ombres sur la terre encore tiède, mais Clémence n'a plus peur du noir. Assise au bord du bassin, elle essaie de dénouer ce qui reste de l'angoisse et ce qui s'apaise et s'établit dans son esprit. Plus tôt dans la journée, elle a appelé sa mère. Elle lui a dit pour Thomas. Elle s'attendait à sa réaction : *Quelle horreur.*

Clémence a souri au bout du fil.

— Oui, bien sûr. Et à la fois pas tant que ça.

À présent que le soleil est couché, à présent que la chaleur a cessé d'écraser les arbres et les plantes, les parfums flottent autour d'elle, légers, enivrants, des effluves de rose, de pin et de framboise. C'est étrange cette profusion végétale, ces enchevêtrements, ce presque chaos et soudain – le calme. Même l'air est plus lent. Clémence perçoit l'exact ordre des choses, les places et les rôles parfaits, précis, ensommeillés, les fleurs repues de douceur, les arbres en veille. Sur ses genoux, le petit chat ronronne. C'est la première fois qu'il est venu chercher le contact. C'est lui qui a sauté sur la margelle du bassin, qui a tâtonné du bout des pattes sur le jean de Clémence. Lui qui roupille comme un bienheureux, se dit-elle en essayant de ne pas rire pour ne pas l'effrayer. Enfin, elle est devenue assez – rassurante ? solide ?

Pour un petit chat.

Elle murmure pour elle-même, comme tant de fois ces derniers mois : *Ça va mieux.* Elle rectifie : ça va mieux *maintenant.* Là, tout de suite. Et peut-être fallait-il que Thomas aille mal pour qu'elle aille, enfin, entièrement bien. Peut-être fallait-il que l'équilibre se fasse, que la souffrance se déverse, se transvase, moitié-moitié. Chacun sa part, parce que, au fond, est-ce qu'il ne l'a pas mérité, Thomas ? Clémence imagine si elle disait cela à sa mère ou à Gabriel ; imagine les yeux écarquillés, les cris de protestation. Pourtant, c'est elle qui a raison. Si on enlève les filtres de la bien-pensance, si on met à nu les choses telles qu'elles se sont passées, si on arrête de se mentir : ce qui est arrivé à Thomas est mérité.

Bien fait pour sa gueule, a ri Manon elle aussi.

Voilà ce qu'elle pense, Clémence. Elle ne revient pas là-dessus. Elle ne regrette pas. Elle ne retire pas. Ce qu'elle ressent très profondément, c'est la justice dans l'agression de Thomas.

Oh, c'est bien plus que cela.

Elle a envie de lui dire : tu vois, il ne fallait pas exagérer. Tu aurais dû t'arrêter avant, quand

277

je te le demandais encore gentiment, tu aurais dû comprendre par toi-même. Il ne fallait pas –

Me pousser trop loin.

Il y a toujours un ange gardien qui.

En vérité, Gabriel avait raison, demander ne suffit pas. On ne peut pas toujours compter sur les autres, même si ce sont des anges. Et quand cela tarde, quand les prières ne marchent plus, il y a d'autres mots. Aide-toi. *Aide-toi, et le ciel t'aidera.* Tu sais ce que cela signifie ? Toi d'abord. D'une autre façon : bouge-toi. Le tout, c'est d'avoir confiance. D'être capable de prendre la place de l'ange, parce que les choses doivent être faites voilà tout – sans quoi rien n'avance, rien ne change.

Clémence soupire en caressant la tête du petit chat qui ronronne. Il est beau ce jardin la nuit. C'est beau les jardins la nuit quand plus rien ne peut arriver. Il n'y a que les grillons qui chantent, et puis ce rossignol fou qui doit se cacher dans les branches hautes du sophora. Clémence va bientôt rentrer. Elle va se lever, poser le chat par terre, regagner la maison éclairée. Il faut qu'elle dorme. Dans cinq heures, ce sera l'heure d'aller au travail, elle a besoin de récupérer, d'être en forme pour manier les pâtons et les sacs de farine.

Clémence regarde la haie de thuyas à sa gauche, qui la sépare de Gabriel. Elle vogue entre lui et son jardin, Flo, sa mère, Manon. Les visages flottent au fond de ses yeux, elle les laisse aller, venir, elle laisse le bercement. Tous ces gens grâce à qui. Il n'y avait pas besoin d'une armée, au fond. Ou alors une toute petite armée pleine d'amour. C'est idiot comme mot, il n'y en a pas d'autre, parfois on peut accepter de dire les choses telles qu'on les ressent. L'amour, il n'y a que ça, voilà.

Presque.

Clémence est debout, enlève les brindilles prises sur son jean. Le petit chat a filé dès qu'elle a bougé. Dans le bassin, quand l'air écarte les feuilles des arbres, les écailles des poissons font un reflet furtif sous la lumière de la lune. Une grosse lune bien ronde, bien pleine. Clémence plisse les yeux pour mieux voir les poissons, les nageoires presque translucides, des poissons en noir et blanc sous l'obscurité tranquille.

Ce n'est pas le reflet des écailles, elle le sait.

C'est celui de la barre de fer cachée au fond de la vasque, sous les algues, sous les petites mousses et les débris de terre. De la main, avec beaucoup de délicatesse, Clémence ramène quelques feuilles pour l'enfouir tout à fait. De toute façon, personne ne pensera à elle, ni Thomas ni la police, cela fait longtemps, il y a tant d'autres raisons. Elle s'essuie les mains sur son pantalon, les agite pour les sécher. Elle sourit à son visage qui tangue sur l'eau troublée du bassin et se redresse et rentre à pas lents les poings calés dans les poches. La nuit est bleue presque noire comme un hématome féroce, Clémence s'en fout bien, de la nuit.

Imprimé en France par
CPI BRODARD & TAUPIN (72200 La Flèche)
en janvier 2021

pour le compte des Éditions J.-C. LATTÈS
17, rue jacob – 75006 Paris

JC Lattès s'engage pour l'environnement en réduisant l'empreinte carbone de ses livres. Celle de cet exemplaire est de 600 g éq. CO_2 Rendez-vous sur www.jclattes-durable.fr

PAPIER À BASE DE FIBRES CERTIFIÉES

N° d'impression : 3042309
N° d'édition : 03
Dépôt légal : janvier 2021

QUE RESTE-T-IL
QUAND IL NE RESTE PLUS RIEN ?

SANDRINE COLLETTE

ET TOUJOURS LES FORÊTS

GRAND PRIX **RTL** LiRE: 2020

PRIX DU LIVRE FRANCE BLEU
PAGE DES LIBRAIRES

Prix de la
CLOSERIE DES LILAS

ET TOUJOURS LES FORÊTS
ENFIN AU LIVRE DE POCHE !